De toverstick

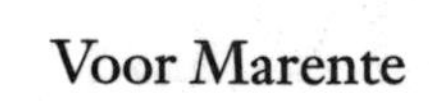

Voor Marente

Frans van Duijn

De toverstick

Met illustraties van Monique Beijer

Van Goor

ISBN 978 90 475 0814 4
NUR 283

Unieboek BV, postbus 97, 3990 DB Houten

www.van-goor.nl
www.unieboek.nl

tekst Frans van Duijn
illustraties Monique Beijer
omslagontwerp Marieke Oele
zetwerk binnenwerk Mat-Zet BV, Soest

Een vuile streek

De regen daalde met miljarden druppeltjes uit de laaghangende wolken. Op de velden van hockeyvereniging MEP in Boxtel kwam heel geleidelijk een dun laagje water te staan. De bezige voeten van de meisjes op veld twee deden dit water hoog en fraai opspatten, maar het mooiste gezicht, vond linksbuiten Winke, was toch het fonteintje van water achter de over het kunstgras razende bal.

De bal heeft een staart, dacht Winke. Een waterstaart. Kijk eens hoe sierlijk! Ik wilde dat ik zo'n staart had.

De voeten van Winke waren niet zo bezig. Sterker nog, ze stonden stil. Geboeid staarde het tienjarige meisje naar de waterstaart, die bij elke klap hoog opspoot en dan weer inzakte. Coach Ruben wist het meteen toen hij Winke vier jaar terug als mini onder zijn hoede kreeg. Dit was een redelijke hockeyster, maar ook een droomster.

'Dromen en hockeyen gaan absoluut niet samen,' had Ruben tegen haar gezegd. 'Voor je het weet krijg je een bal tegen je hoofd.'

Zijn waarschuwing had niet geholpen, ook al was Winke meerdere keren ruw uit dromenland wakker geschud. Tot nu toe had ze door onoplettendheid acht keer een bal op haar knie gekregen en één keer zelfs vlak boven haar rechteroog. Vandaag, op zaterdag 3 mei 2008, was er meer dan ooit geen tijd voor dromerij, want Boxtel speelde tegen de grootste concurrent, MOP, de koploper uit Vught. De winnaar van deze wedstrijd had grote kans op het kampioenschap. MOP stond met 2-3 voor en er waren nog precies vier minuten te spelen. Het was dus bloedspannend.

'Kom op, meiden!' brulde Ruben vanuit de dug-out. 'Weg met die bal, Noa! Goed zo! Hatseflats! Niet van dat benauwde!'

Maar de bal wilde niet weg en de 2-4 hing in de lucht. Rond de Boxtelse slagcirkel krioelde het van de speelsters. Een aanvalster liet een harde backhandslag op het doel los. De bal suisde door het natte gras.

FLOESSSSSJ!

De schutter stak al een arm in de lucht, maar juichte te vroeg.

POK!

Keepster Barbara wist haar linkerklomp achter de bal te krijgen. Via twee of misschien wel vier sticks kwam de bal terecht bij rechtsback Lisa. Deze bedacht zich geen moment. Ze zwiepte de bal met een enorme klap diep op de helft van MOP.

'Goed zo, Lisa,' gilde Ruben. 'Hatseflats! Niet van dat benauwde!'

De waterstaart was hoger dan ooit en passeerde Winke op drie meter afstand. Ze keek gefascineerd toe. Elk druppeltje leek een andere kleur te hebben. Blauw, groen, lila, grijs, roze, rood...

'Winke! Gaan! Ga dan potverdorie!'

Pas door de kreten van Ruben kwam Winke in beweging. Ze stond zo vrij als een vogeltje en rende achter de bal aan. Met kleine tikjes dreef ze hem voort langs de zijlijn, zoals een linksbuiten dat hoort te doen. Haar pasjes waren klein en snel, ja, haar loopstijl was ronduit grappig, wat ook te maken had met haar schokkerige heupen. Winke passeerde de 23-meterlijn en spits Berthe stoomde op naar de vijandelijke slagcirkel. Ook zij had vrij veld. Dit moest een goal worden. Dit werd de 3-3. Dit werd de gelijkmaker. Dit doelpunt zou Vught het kampioenschap kunnen kosten...

Vlak nadat Lisa de bal zo'n mooie knal had verkocht, was niet alleen Winke gaan bewegen. Aan de rand van het veld stapte een eenzame mannelijke toeschouwer haastig in de richting van de zijlijn. Boven zijn hoofd droeg hij een geel-groene paraplu. Tijdens de wedstrijd had hij dingen geroepen als:

'Ga door, Chantal!'
'Dat is sticks, scheids!'
'Voor jou, Chantal!'
'Toe dan, Chantal!'
'Dat is geen bully, scheids!'
'Hup, Chantal!
'Voor elk doelpunt een dvd, Chantal!'
'Máák hem dan, Chantal!'
'Verdorie, Chantal!'

Deze man bewoog zich snel naar voren, totdat de punten van zijn krokodillenleren schoenen de zijlijn raakten. Gejaagd keek hij om zich heen. De regen was inmiddels een flinke bui geworden. Het hemelwater hinderde zijn zicht, maar hij zag met een flitsende blik dat de scheidsrechters rond de middencirkel liepen. Drie andere toeschouwers stonden nat te regenen aan de overkant van het veld. Ver weg. En de coaches schuilden al de hele wedstrijd in hun dug-out. Ineens klapte de man zijn paraplu dicht.

Dit werd de 3-3. Dit werd de gelijkmaker. Sprintende Winke had alleen oog voor de bal. Ze zwaaide haar stick omhoog voor de beslissende voorzet, toen ze ineens iets hards tegen haar linkerenkel voelde. In een flits zag Winke de stalen punt van een paraplu en even later viel ze languit in het gras. Meteen deed een man twee stappen het veld in. Daarbij opende hij bliksemsnel zijn paraplu. In de verte klonk het scheidsrechtersfluitje.

'Gaat het een beetje, liefje?' vroeg hij met honingzoete stem.

Winke kreunde van pijn. Ze was boven op haar stick gevallen. De tranen stonden in haar ogen, tranen van pijn, schrik en woede.

'Kom maar.'

De man wilde haar overeind helpen.

'Blijf van me af, rotzak!' schreeuwde Winke. 'Je liet me struikelen!'

Ruben was van de bank opgestaan.

'Altijd wat met dat grietje,' mompelde hij.

Een van de scheidsrechters kruiste haar polsen boven haar hoofd, het gebaar dat de tijd wordt stilgezet. Inmiddels stonden de andere scheids en een aantal speelsters bij Winke, die nog altijd in het gras zat.

'Dat arme kind viel over haar eigen benen,' zei de man tegen de scheidsrechter. 'Tja, ze heeft ook zo'n raar loopje.'

'Niet!' riep Winke uit. 'Niet! Jij... jij valserik. Jij...'

Haar stem stokte. Van verontwaardiging kon ze geen woord meer uitbrengen. Ruben kwam mopperend op de plek des onheils aan. De regenspetters op zijn brillenglazen waren niet te tellen.

'Wat is er aan de hand?' vroeg hij.

'Ze viel over haar eigen benen,' herhaalde de man op rustige toon tegen de coach.

Zijn stem klonk prettig. De man had een opvallend knap gezicht en droeg een lange regenjas met een leren kraag. Zijn ribfluwelen broek was nat bij de enkels.

'Verdorie, Winke!' tierde Ruben. 'Het is ook altijd wat met jou. Eerst sta je weer eens te dromen en dan ga je op een beslissend moment onderuit. Daar gaat onze kans op het kampioenschap. Je wordt bedankt!'

Nu barstte Winke werkelijk in tranen uit.

'Ach,' zei de man. 'Wees toch niet zo streng voor dat kind. Het is maar een spelletje. Laten we het wel leuk houden.'

'Zo is het,' zei de scheidsrechter, een meisje van zestien in een drijfnat trainingspak. 'Sta maar op, meid. Het veld is ook zo glad door die regen. Kom maar.'

Wat later stond Winke weer op haar benen. Met trillende handen deed ze haar rokje recht. Birthe raapte Winkes stick van de grond. Vlak onder de krul zat een lelijke barst in het hout. De scheidsrechters lieten nog een halve minuut spelen en toen was de wedstrijd voorbij. Na het laatste fluitsignaal snelden beide teams naar het clubhuis, want de regen kwam nu met bakken uit de hemel zetten.

Aan de tafel van MEP was de stemming bedrukt. Iedereen zweeg en van de limonade werd amper gedronken, want na een nederlaag smaakt limonade veel minder lekker dan na een overwinning. Winke bevoelde haar linkerbovenbeen, waar een blauwe plek was ontstaan. Ruben dronk met een chagrijnig gezicht van zijn spaatje rood. Naast de glazen limonade lagen de bitjes van de MEP-speelsters. Zelfs deze mondbeschermers leken de pest in te hebben. Aan een andere tafel, waar de bezoekers zaten, was de sfeer veel beter. Daar klonk gelach. Enkele meisjes belden met hun mobieltjes.

'Ja, mam, 3-2 voor ons! Ik heb er eentje gemaakt!' zei de ene.

'Gewonnen natuurlijk, pap! We waren veel beter!' zei de ander.

'Dit was die belangrijke wedstrijd, mama. We worden vast kampioen!' zei een derde.

De man met de schoenen van krokodillenleer dronk een glas rode wijn en voerde het hoogste woord. Zijn Chantal zou de nieuwe Fatima Moreira de Melo worden, de beroemde international. De coach van het team, een vrouw met een diadeem in haar blonde haar, was het helemaal met hem eens. Winke luisterde oplettend toe.

Die Chantal kan er juist geen bal van! dacht ze. Ze liep alleen maar te hakken. Daarom kijkt ze ook zo droevig.

Aan de tafel van de overwinnaars was dit meisje de enige die sip voor zich uit keek, ongeveer net zo sip als Winke.

Iemand moet toch gezien hebben wat die kerel deed, dacht Winke. Ik heb het toch niet gedroomd!

Ze stootte Sterre aan. 'Zag jij dan niet hoe die man me onderuithaalde?' fluisterde Winke. 'Jij bent linkshalf. Jij liep toch achter me?'

Sterre schudde haar hoofd.

'Sorry Winke, ik stond er te ver vanaf. Door die rotregen zag ik trouwens alles vaag. Ik zag geen moer.'

Barbara moest iets van hun gesprek opgevangen hebben. 'Je had de bal eerder naar Birthe moeten spelen, Winke,' zei de keepster. 'Je blééf maar langs de zijlijn rennen.'

'Zo is het,' zei rechtshalf Marjolein. 'Dan had Birthe 3-3 gemaakt.'

Winkes onderlip begon te trillen. Iémand moest het toch gezien hebben! De moeder van Sterre vroeg wat er aan de hand was. Zij wist niets van het incident, omdat ze in het clubhuis voor de regen had geschuild.

'Wat is er, Winke? Ik mis die brutale glinstering in je ogen.'

Winke haalde haar schouders op. 'Er is niets.'

'Verliezen is toch niet zo erg! Kop op, hoor!'

Winke moest iets wegslikken. Nee, ze wilde er niet meer over praten. Ze wilde er niet meer aan denken. Ze wilde naar huis. Nu! In twee teugen dronk Winke haar glas leeg, maar toen ze wilde opstaan, voelde ze ineens een hand op haar schouder, een hand met vingers zo koud als de Noordpool.

'Gaat het weer een beetje, liefje?'

De man met de paraplu kneedde Winkes schouder alsof hij een stukje fruit keurde. Heel even keek ze hem aan. Op zijn gezicht lag de glimlach van een slechte acteur.

'Geef die meneer eens antwoord,' zei Ruben.

Winke schudde haar hoofd. Haar paardenstaart schudde mee.

Donder op, vent! dacht ze. Donder op voordat ik je een rotschop geef! En neem die blatende schapen en Chantal de Hakker mee!

De vingers gleden van haar schouder. Ruben nam het woord.

'Excuses, meneer... eh...'

'Mijn naam is Kraak, Jürgen Kraak,' zei de man.

'Onze Winke is nogal gevoelig, meneer Kraak,' zei Ruben. 'U moet niet denken...'

'Ach, ik begrijp het wel een beetje,' onderbrak de man hem. 'Hoewel het natuurlijk niet netjes is om een ander de schuld te geven van je eigen fout. Maar goed, wij gaan ervandoor. Het weer is aardig opgeknapt. Tot ziens allemaal!'

Iedereen groette terug, behalve Winke, die zogenaamd druk bezig was met het strikken van haar veters.

Kort nadat de tegenstanders waren vertrokken, greep Winke haar stick en liep stampvoetend naar de deur. Halverwege draaide ze zich om. Met piepende stem riep ze tegen Ruben en haar teamgenoten: 'Die vent heeft mij getackeld met zijn paraplu, zo waar als ik Winke Penninx heet! Horen jullie het? Getackeld!'

BOEM!

Met een klap smeet ze de deur dicht. Op weg naar haar fiets kwam Winke langs de plek waar het ongelofelijke gebeurd was. De rillingen liepen haar over de rug. Waarom doet een volwassen man zoiets? Om zijn dochter kampioen te maken? Zoiets moest het zijn. Daarom had hij natuurlijk ook zo naar haar staan schreeuwen. Griezelig was zijn ijskoude hand geweest. Was die man wel een mens? Nee, het was een monster! Wat had hij ook alweer gezegd?

Het is niet netjes om een ander de schuld te geven van je eigen fout. Hoe dúrfde hij na zo'n vuile streek zoiets te zeggen.

'Slijmbal!' riep Winke naar de wolken. 'Griezel!'

Zo, dat luchtte op. Net toen Winke haar fiets van het slot haalde, reed er met een vaart een inktzwarte sportauto voorbij. De heer Kraak zat aan het stuur. Heel even keek hij Winke aan. Rond zijn lippen verscheen een valse grijns.

Hockey in een rokkie

Winke woonde in een groot huis dat bananengeel was geschilderd met twee zusjes en haar vader en moeder. Winke was in dit doodgewone gezin een buitenbeentje. Zo had ze een tijdje, om precies te zijn van haar achtste tot naar negende, een onzichtbaar vriendje gehad. Deze Rick woonde afwisselend in haar linker- en rechterneusgat. 'Winke is gek!' zei haar twee jaar oudere zus Xandra altijd als Winke weer eens in gesprek met Rick was.

Nou, gek was Winke niet, maar ze had wel veel fantasie. Haar schoolopstellen gingen bijvoorbeeld over Sinterklaas die op een ezel ons land binnenkomt of over vogels die boos worden, omdat ze in het kunstgras geen wormen kunnen vinden. En in haar laatste opstel, met de titel *Hockey in een rokkie*, verbergt een speelster de bal in een klem onder haar rokje om zo een doelpunt te kunnen scoren. Het was dan ook geen wonder dat Winkes ouders kritische vragen stelden over het incident aan de zijlijn.

'Ik kan dit toch moeilijk geloven, Winke,' zei haar vader. 'Zoiets gebeurt niet eens op een voetbalveld, laat staan bij hockey!'

'Het is wél gebeurd, pap. Ik zweer het je!'

Haar moeder mengde zich in het gesprek. 'Maar je medespeelsters en Ruben. Zij...'

'Ze hebben het niet gezien, mam. Het regende en het was een heel onverwachte aanval van ons, een counter. En hij stak zo snel toe. Als een slang. Ik...'

'Er lopen twéé scheidsrechters op het veld, Winke!' zei haar moeder. 'Twéé!'

Winkes keel voelde ineens droog aan. In haar ogen blonken tranen.

'Was dan komen kijken!' riep ze uit. 'Dan had je die vuile streek zelf gezien!'

'Oké, rustig maar kindje,' zei haar moeder sussend. 'We komen gauw weer eens kijken. Maar hoe is het met je been? Laat me eens zien.'

Winke deed haar trainingsbroek omlaag. Op haar linkerbovenbeen zat een blauwe plek met een gele rand. 'Een halfuur geleden had het de vorm van de landkaart van België. Nu is het meer Afrika,' zei ze droogjes.

'Ik zal er straks wat ijs op doen,' zei haar moeder. 'En papa gaat met Ruben bellen. Ik wil precies weten wat er gebeurd is.'

Winkes vader knikte. Even viel er een stilte. Het drietal zat in de achterkamer aan de eettafel. Vanaf deze plaats had je uitzicht op de tuin, waarin een eik de meeste aandacht trok. De boom had een kroon van zware, grillig kronkelende takken en was zeker twintig meter hoog. In de grijsgroene schors zaten diepe groeven die erop wezen dat de eik heel oud moest zijn. De stamomtrek was zeker vier meter en de kroon was uitgegroeid tot een heus koepeldak. Aan een van de dikste zijtakken hing een schommel. Emma, Winkes vijfjarige zusje, zat op die schommel. Haar haren wapperden in de wind en haar voeten trappelden in de lucht. Ze ging hoger en hoger, maar lang niet zo hoog als Winkes voeten waren geweest. Zij had ooit bij een reuzenzwaai een gat in de hemel geschopt. Althans, dat beweerde ze tegenover haar ouders en zusjes.

'Ik wilde de hoogste zwaai ter wereld maken,' had Winke tegen hen gezegd. 'Mijn billen kwamen los van het plankje en mijn rok waaide zo'n beetje onder mijn kin. De tak begon onheilspellend te kraken. Het werd mij te gevaarlijk. Ik wilde juist vaart minderen, toen ik dacht: nu ogen dicht en nog één keer met volle kracht vooruit. Toen knalde ik met mijn rechterschoen ergens tegenaan.'

'Mooi niet!' zei Xandra. 'Je...'

Maar Winke vertelde snel door. 'Ik dacht eerst aan een vogel, maar een vogel is zacht en dit voelde hard. Toen ik mijn ogen opendeed, zag ik in het blauw een gat zitten.'

'Hoe groot?' vroeg Emma. 'Hoe groot, Winke?'

'Zo groot als een voetbal. Uit het gat stroomde iets vochtigs. Ik minderde vaart. Bij iedere schommeling kwam ik even onder het gat. Ik zette mijn mond wijd open zodat ik kon proeven. Weet je wat het was? Het was water, kristalhelder, heerlijk water. Ik heb nog nooit zulk lekker water geproefd. Het was topwater.'

'Wat een onzin!' reageerde Xandra. 'Weet je zeker dat het geen ijsthee was? Daar hou je toch zo van?'

'En toen?' vroeg Emma ademloos. 'Wat gebeurde er toen?'

'Toen ging het gat langzaam dicht. Bij mijn laatste schommeling was de hemel weer gesloten. Ik heb een uur staan turen, maar je zag er niks meer van.'

'Juist,' had haar vader ten slotte gezegd. 'Een mooi verhaal voor een opstel, Winke. Hoe verzin je het toch? Knap hoor!'

'Maar ik héb het niet verzonnen!' was het antwoord.

Lucas Penninx staarde naar de blauwe plek op het been van zijn middelste dochter. Wat zit dat kind toch altijd vol rare verhalen, dacht hij. Een tackle met een paraplu. Hoe komt ze daar toch bij?

'Mijn stick is trouwens kapot,' flapte Winke er ineens uit.

'Nee toch!' riep haar moeder. 'Hij is net nieuw.'

'Ik ben erbovenop gevallen. Door die vent.'

Winke sprong van haar stoel en ritste haar sticktas open.

'Inderdaad, een barst,' zei haar vader met een zucht, terwijl hij het hout betastte. 'Nou goed, laten we dit keer maar een kunststof stick kopen. Die schijnen zo goed als onverwoestbaar te zijn.'

Hij stond op van zijn stoel en rekte zich in zijn volle lengte uit. Winkes vader was iets meer dan twee meter lang. Hij kon net door de deur zonder zijn hoofd te stoten.

'Schat,' zei hij tegen zijn vrouw. 'Ik haal Xandra van paardrijden. Onderweg bel ik wel even met Ruben.'

Nadat Winke in bad was geweest, borstelde haar moeder de klitten uit haar haren. Daarna kreeg ze op haar kamer een washandje met ijsklonten op haar bovenbeen.

'Huh,' griezelde ze. 'Het doet me denken aan de vingers van die vent.'

'Wat!' riep haar moeder uit. 'Heeft die man ook nog aan je gezeten?'

'Ja, in het clubhuis wilde hij weten hoe het met me ging. Toen legde hij zijn hand op mijn schouder, een ijskoude hand.'

'O, dat klinkt heel aardig.'

'Maar niet heus! Hij deed zogenaamd aardig om zijn laffe daad te verbergen. Het is echt een gluiperd!'

'Ja, ja. Nou goed, je moet zo een tijdje op je stoel blijven zitten. Welk boek wil je? Ik neem aan dat je iets wilt lezen.'

Winke was een fanatiek lezeres. In de boekenkast op haar kamer stonden minstens honderd leesboeken. Veel daarvan gingen over tovenarij en magie. Zo had ze alle boeken over de avonturen van Harry Potter. Van *De steen der wijzen* tot *De relieken van de dood.*

'Doe maar *De reuzenkrokodil*, mam.'

Haar moeder gaf Winke het boek.

'Zo. Wil je nog wat lekkers?'

Winke knikte heftig van ja. Haar moeder liep de kamer uit en kwam terug met een bruinig zakje. Vlak onder Winkes neus vouwde ze het open.

'Ruik eens wat lekker,' zei ze.

'Wat een gekke snoepjes,' zei Winke. 'Ze ruiken raar.' Winke trok een vies gezicht.

'Stel je niet aan! Ik heb deze kruidendropjes vanmorgen bij de drogist gehaald. Er zit anijs, venkel en vlierbloesem in. Weer eens wat anders dan die zoete meeuwenflatsen.'

Haar moeder legde er drie op de stoelleuning.

'Getsie! Het lijken wel konijnenkeutels.'

'Goed dat je het zegt. Vergeet straks niet Dibbes z'n voer te geven en het hok schoon te maken.'

'O, ik dacht dat Xandra...'

'Het is jóúw konijn, Winke,' zei haar moeder streng. 'Je hebt dat beest net en nu begin je al te piepen over de verzorging. Straks ga je Dibbes voeren en de boel schoonmaken. Zo is het afgesproken. Weet je nog?'

Winke knikte.

'Kom over een halfuur maar naar beneden.'

'Ja, ja,' mompelde Winke. 'Als het ijs gesmolten is kom ik.'

Een halfuurtje later stond Winke in de tuin bij het konijnenhok met in haar hand een plastic zak met rauwkost, paardenbloemen en gedroogde bananenschijfjes. Dibbes stak meteen zijn snuitje door het gaas. Emma was uitgeschommeld en kwam naast haar zus staan.

'Waarom zit jouw konijn niet in een hol onder de grond?'

'Omdat Dibbes van adel is,' zei Winke. 'Hij is een Bleu de Vienne.'

'Een wat?'

'Een Weense Blauwe. Dat kun je zien aan de blauwe glans op zijn vacht. Dibbes is dus van adel en konijnen van adel wonen niet in een hol.'

Emma staarde naar het konijn. 'Hij heeft anders een snorretje van niks.'

'Die snorharen moeten nog groeien. Daarom geef ik hem elke dag een rozijn. Dat is een snorhaargroeimiddel.'

'O?'

Winke opende de deur van het hok.

'Was-ie duur?'

'Dibbes is niet gekocht, Emma. Zo'n deftig beest is onbetaalbaar. Ik heb hem uit de hoge hoed getoverd, de zwarte hoed van opa.'

Emma schudde haar hoofd. 'Volgens Xandra komt hij uit de dierenwinkel.'

'Onzin!' zei Winke. 'Grote onzin!'

Winke legde een handvol paardenbloemen op het stro. Ook gaf ze Dibbes wat rauwkost. 'Ananas lust-ie ook,' beweerde Winke. 'Dat krijgt hij morgen.'

Beide zusjes keken toe hoe Dibbes zich te goed deed aan het voedsel.

'Zie je hoe netjes hij eet?' vroeg Winke. 'Hij kauwt met zijn mond dicht, zoals alle konijnen van adel.'

'Moet je die keutels niet opruimen?' vroeg Emma plotseling.

'Dat zou zonde zijn.'

'Hoezo?'

Winke schudde haar hoofd om zo veel domheid. 'Weet je dat niet? De drolletjes van een Bleu de Vienne zijn kostbare lekkernijen, Emma. Die kun je zo opeten. Althans, na de juiste toverspreuk.'

'Niet waar!'

Ongemerkt, als een goochelaar, had Winke een kruidendropje uit haar broekzak gehaald. Ze deed alsof ze iets uit het stro pakte, liet in een flitsende beweging het bruinige snoepje aan haar zusje zien en stak het in haar mond.

'Heerlijk!' verzuchtte ze kauwend. 'En o zo goed voor je spijsvertering.'

De ogen van Emma werden zo groot als schoteltjes. 'Wat was de toverspreuk?'

'Dat is geheim. Zo! Ook weer gebeurd!'

Winke sloot het hok af en ging op de schommel zitten. Haar zusje bleef vol ongeloof naar Dibbes staren, die met gulzige hapjes van zijn lunch genoot. Winke zweefde door de lucht. Ze dacht aan de reuzenkrokodil waarover ze zojuist gelezen had. Dat beest zou de verschrikkelijke Jürgen Kraak in één hap kunnen verslinden. Of nee, hij zou het met kleine hapjes doen. Eerst de linkervoet, dan de rechterkuit, dan beide ellebogen, dan de linkerarm, dan de...

TOET! TOET!

Buiten de poort klonk een bekende claxon. Xandra kwam in haar paardrijkleren de tuin in. In haar hand hield ze haar cap. Winke sprong van de schommel af en liep haar grote zus tegemoet.

'Wat loop je raar,' zei Xandra. 'Moet je plassen of zo?'

'Ik heb Afrika op mijn been. Heeft papa je niet verteld over die smerige streek van…'

'Jawel,' onderbrak Xandra haar. 'Dat was een smoes om

die breuk in je hockeystick te verklaren. Papa heeft met je coach gebeld en die zei dat er níks aan de hand was. Zo, dan weet je dat alvast!'

Winke werd bleek. 'Niet waar, Xan. Het is niet waar! Ik...'

'Niet zo schreeuwen!'

Hun vader kwam de tuin in gelopen. 'Meiden, laten we erover ophouden,' zei hij. 'Winke krijgt een nieuwe stick en we vergeten die... eh... valpartij. Afgesproken?'

Winke klemde haar lippen stijf op elkaar.

Kraak!

Dibbes was door de rauwkost uitgegroeid tot een monsterlijk groot konijn, ongeveer zo groot als een verhuiswagen. Hij vrat in de tuin van de zo fraai gesnoeide struiken en werd daar nog groter van. Achter zijn kolossale nek droeg Dibbes een zadel. Met behulp van de keukentrap ging Winke in dat zadel zitten. Ze droeg een soort circusbroek en een mosgroen jasje. Aan haar voeten staken zwarte laarzen en haar lippen waren oranje gestift. Ze voelde zich als een indiaan op oorlogspad. Wat was het trouwens hoog en wiebelig op zo'n Weense Blauwe!

Ze verlieten de tuin. Het reuzenkonijn zette koers richting de kerk. Op het kruispunt aarzelde hij, maar Winke wist ineens wat de bedoeling was van deze reis. Met de punten van haar laarzen gaf ze het beest zetjes in zijn zij. Dibbes gehoorzaamde feilloos. Natuurlijk trokken ze veel bekijks. Als een filmster zwaaide Winke naar de stomverbaasde mensen. Het konijn hupste door de straten van Boxtel, op zijn gemakje en goed gehumeurd. Daarna ging hij de snelweg op, richting Vught. Winke hield zich goed vast aan de fluwelen oren, want Dibbes rende net zo schokkerig als zijn berijdster altijd deed. Ze naderden het clubhuis van MOP*. Vanaf de konijnenrug zag Winke de sportauto al staan, de inktzwarte* *auto van de heer Kraak. De kap was naar beneden. De leren stoelen glansden in de zon. Ze waren op tien meter van de auto. Vijf meter. Twee meter.*

'Ho, Dibbes!' riep Winke.

Meteen stond het konijn stil.

'Misschien moet je even uitrusten. Je hebt zo'n eind gelopen. Wil je even zitten?'

Winke hield zich stevig vast aan de lange oren. Ze plantte haar voeten diep in de vacht. Toen leidde ze het konijn naar de voorkant van de auto.

'Ga maar lekker zitten,' riep Winke.

En Dibbes ging zitten, boven op de motorkap. De duizenden kilo's drukten de auto in elkaar.

PANG! PANG!

Met een knal klapten beide voorbanden. Enkele bezoekers van het clubhuis kwamen meteen op de herrie af. Ze wreven hun ogen uit. Wat gebeurde hier nou?

'Als je dronken bent, schijn je roze olifanten te zien,' zei een man met een slokje te veel op. 'Maar dit is nog vreemder. Dit moet Jürgen Kraak weten!'

Dibbes hupte van de motorkap af en stond weer op vier poten. Hij maakte vervolgens een benauwd geluidje.

'Ach, moet je een drukje doen? Komt dat even goed uit. Hier is de wc!'

Winke dirigeerde het konijn op zo'n manier voor de auto dat de gigantische keutels op de bekleding terechtkwamen.

'Goed zo, Dibbes. Het geeft niks hoor. Het is toch maar snoep. Het zijn dropjes. Wat? Wil je nog een strafbal nemen? Toe maar!'

Met zijn linkerachterpoot gaf Dibbes de zijkant van de auto

een rotschop. Het portier vloog uit de hengsels.

'O, o,' zei Winke. 'Dat was gevaarlijk spel, domme Dibbes. Bij een strafbal mag je niet slaan. Je mag alleen maar pushen of een scoop geven. Geef maar een push met je oor. Toe maar!'

Prompt veegde Dibbes met een machtige zwaai van zijn linkeroor de ruitenwissers van de voorruit.

'Hé verdorie! Wat moet dat?!'

Winke keek over haar schouder.

'Aha, de heer Kraak. Fijn dat ik u hier tref.'

Als een prinses die een draak overmeesterd had, keek Winke haar vijand aan. Deze zag erg bleek. Alleen door zich aan het wrak vast te klampen kon hij overeind blijven. Kraak hapte naar adem als een vis op het droge. Toen begon hij uit machteloze woede te schreeuwen: 'Vuile rotmeid! Was die breuk in je stick niet genoeg? Wil je ook een breuk in je arm?! Of in je nek? Ik...'

KABOEM!

Winke schrok wakker. Het huis van de familie Penninx schudde op zijn fundering na deze geweldige donderslag. De wind gierde om het huis en de regen spoot werkelijk uit de hemel. Een volgende bliksemschicht verlichtte Winkes kamer op spookachtige wijze en even later daverde een tweede knal door het huis. Alle drie de zusjes sprongen zo'n beetje tegelijk uit bed. Ze renden naar de ouderlijke slaapkamer. Emma trilde als een rietje en mocht in het grote bed liggen, tussen haar ouders in. Ze trok meteen de deken over haar hoofd. Winke en Xandra zaten aan het voeteneind.

'Het is zo over, meiden,' zei hun moeder. 'Ik denk...'

FLITS! KABOEM!

'Goeie genade!' riep Lucas Penninx uit. 'Dat is vlakbij.'

Emma huilde. Winke en Xandra klampten zich nu aan hun vader vast.

'Zit Dibbes binnen?'

'Ja, mama,' antwoordde Xandra. 'Ik heb hem in het binnenhok gezet.'

'Mooi zo,' zei haar moeder, terwijl ze een afkeurende blik op Winke wierp. 'Op jou kan ik tenminste rekenen.'

'Ik heb zó raar gedroomd,' zei Winke. 'Ik reed op Dibbes alsof hij een paard was en...'

'Typisch Winke,' smaalde Xandra. 'Omdat ik op een paard rij moet zij weer op een konijn rijden.'

'Laat mij nou vertellen wat er...'

FLITS! KABOEM! **KRAAK**!

Iedereen dook in elkaar. Winke was lijkbleek geworden. De naam van haar vijand had heel luid geklonken.

'Jezus!' kreunde haar vader. 'De bliksem moet in de eik zijn geslagen!'

Hij sprong uit bed en rende naar het raam.

'De boom staat in brand, meiden. Goeie genade! Wat nu?'

Winke keek ook uit het raam. Ze zag een felle steekvlam uit de kruin van de eik omhoogschieten.

Arme boom, dacht ze. Je haar staat in de fik.

'Ik bel de brandweer,' besliste haar vader. 'Ja, ik bel de brandweer!'

Maar dat was niet nodig. Een hoosbui uit de donderwolk doofde het vuur. Ze stonden met z'n allen voor het raam toe te kijken hoe de laatste vlammetjes uit gingen.

'Daar gaat de schommel,' zei Xandra. 'Voorlopig geen gaten in de hemel meer. Jammer, ik heb wel zin in een glaasje topwater.'

Winke reageerde niet op de spottende woorden van haar zus. Niemand zei iets. Tegen de donkerblauwe lucht zag de getroffen boom eruit als een stokoude, verschroeide, verschrompelde heks.

Cadeautje van de bliksem

Winke werd wakker van de kerkklokken. Op haar wekker zag ze dat het negen uur was.

'Bim, bam, bom, een hockeystick is krom,' rijmde ze.

Ineens werd er op haar slaapkamerdeur geklopt.

'Winke, ben je al wakker?'

De deur ging op een kier. Het gezicht van Xandra verscheen.

'Hé, slaapkop. Kom eens gauw in de tuin kijken. Je weet niet wat je ziet!'

De deur ging weer dicht. Winke sprong snel uit bed en waste zich bij de wasbak. In de spiegel zag ze een slaperig gezicht. Ze trok een spijkerbroek en T-shirt aan en vloog op haar gympies de trap af. De rest van het gezin stond al in de tuin, die bezaaid was met takken die door de storm en het vuur waren afgerukt. De brede kroon van de eik was verdwenen.

'Ah, daar ben je,' zei Xandra. 'Kom eens kijken ín de boom.'

'In de boom?'

'Ja, je hoort me goed. In de boom.'

Dat was nu inderdaad mogelijk, want ook het binnenste van de boom was weggebrand. Winke liep om de boom

heen en zag de brede, metershoge scheur. De binnenkant van de eik was zwartgeblakerd.

'Je kunt hier wel wonen,' zei Winke. 'Dat lijkt me best leuk.'

'Dan neem ik jouw kamer,' zei Emma snel.

Hun ouders schoten in de lach.

'Ik kan makkelijk door die scheur,' zei Winke. 'Misschien kom je via die scheur wel in een andere wereld terecht. In China of zo. Dan ga je als Nederlands kind de boom in en kom je er met spleetoogjes uit!'

Xandra tikte met haar wijsvinger tegen haar voorhoofd.

'Niet ín de boom gaan, Winke,' waarschuwde haar moeder. 'Dan worden je kleren zwart. Bovendien is het hout nog steeds warm. Straks brand je jezelf nog.'

Winke legde meteen haar hand op de boombast. Snel trok ze hem terug. Het hout voelde als de centrale verwarming op de hoogste stand.

'Eigenwijze dondersteen,' mompelde haar moeder.

'Het is doodzonde, meiden,' zei hun vader vervolgens met een ernstig gezicht. 'De bliksem moet precies op de top van de boom zijn ingeslagen. Eigenlijk is het een wonder dat onze eik nog overeind staat.'

Hij raapte een paar takken van de grond.

'In ieder geval hebben we voorlopig genoeg hout voor de open haard en kan ik weer lekker timmeren en schuren.'

De tak waaraan gisteren nog de schommel hing, lag nu tegen de schutting aan gekwakt. De touwen en het zitplankje had Lucas Penninx in de schuur gelegd, naast de werkbank vol hamers, tangen, vijlen en zagen. In zijn vrije tijd maakte hij houten stoelen en tafels. Daar was hij een kei in.

'Is de boom nu dood?' vroeg Emma.

'Volgens mij niet,' zei haar vader. 'De wortels zitten nog altijd diep in de grond. Het komt vast wel goed.'

'En als het nu weer gaat bliksemen?' vroeg Emma met angst in haar stem.

'Misschien moet er een bliksemafleider op de boom,' zei Xandra. 'Net als op het puntje van de kerktoren.'

De drie zusjes keken naar de zwarte top van de boom.

'Laten we eerst maar ontbijten,' verzuchtte hun moeder. 'Al die takken ruimen we later wel op.'

Tijdens het ontbijt was Winke in gedachten verzonken. Ze dacht aan de gemene streek van Jürgen Kraak. Ze kon het maar niet vergeten. Die knal tegen haar enkel. Het flitsende staal van de paraplupunt. Ja, ze zag nog glashelder voor zich hoe die keurige, nette man haar getackeld had. Toch? Of was ze soms gek geworden en had ze het verkeerd gezien en gevoeld? Onmogelijk! Maar...

'Hé droomkoninkje!' zei haar vader. 'Vertel ons eens over je rit op dat konijn.'

'Huh?'

'Dat zei je vannacht. Je had op een konijn gereden. In je dromen.'

'O ja,' zei Winke. 'Op Dibbes. Dat klopt, maar ik weet het niet zo goed meer.'

Uiteraard wist Winke heel goed wat ze had gedroomd, maar ze wilde niet weer over Kraak en zijn schurkenstreek beginnen. Het was zinloos, want ze geloofden haar toch niet. Ze doopte haar croissantje in een klodder jam op haar bord en zei toen: 'Ik heb trouwens grote plannen met Dibbes.'

'O?' zei haar moeder.

Verwachtingsvol keken de anderen Winke aan. Toen ze haar croissant had weggewerkt, zei ze bekakt: 'Dibbes wordt hulp in de huishouding.'

Emma schoot in de lach.

'Hoe dan?' vroeg Xandra.

'Ik zie dat beest al voor me met een plumeau in z'n pootje,' zei hun moeder grinnikend.

'Of met stoffer en blik,' vulde hun vader aan.

'Of met een dweil,' zei Xandra. 'Of met een bezem.'

Winke besmeerde op haar gemakje een boterham met pindakaas. 'Met handvaardigheid maak ik poetsschoentjes van vilt voor Dibbes. Ik heb er al drie af. Als hij straks op die schoentjes in de kamer rondloopt, maakt hij vanzelf het parket schoon. Het zal glimmen als een spiegel.'

Verbluft keken Winkes ouders elkaar aan.

'Hoe kom je op zo'n idee?' vroeg haar vader. 'Ik heb nog nooit van zoiets gehoord. Wat zei de juf?'

'Die vond het een goed plan. Ik maak ze in twee kleuren. Twee roze voor de voorpootjes en twee zwarte voor achter.'

Na het ontbijt maakte Xandra huiswerk op haar kamer. Emma en haar moeder gingen op bezoek bij oma. Winke en haar vader zouden de tuin opruimen. Winke had de kruiwagen in het midden van de tuin gezet en gooide er zo veel mogelijk takken in.

'Dit is een kleine tak,' riep ze opgewekt. 'Dit is een grote tak. Hier heb ik een kromme tak en dit is een rechte tak.'

Gebukt holde ze door de tuin.

'Dit is een zigzaggende tak,' riep ze nu half zingend. 'Dit is een knoestige tak. Hier heb ik een spichtige tak. Dit is een tak met schors en hier is er eentje zonder schors.'

Takken verzamelend vervolgde ze haar weg.

'Ook zijn er taaie takken, broze takken en takken met twijgjes en takken zonder twijgjes,' zong ze nu uit volle borst. 'Er zijn ook takken met bladeren, kale takken, groene takken, dode takken, rottende takken en vermolmde takken.'

De kruiwagen was vol. Het gezang stopte.

'Papa, ik ben een *takkegrietje*!' riep Winke giechelend.

'Nee, maar je bent wel een gek grietje,' antwoordde haar vader, die hoofdschuddend had geluisterd.

Hij reed de volle kruiwagens één voor één naar de schuur,

waar hij de takken in stukken zaagde, zodat ze in de opslagruimte voor het brandhout pasten. In de schuur begon het heerlijk naar zaagsel te ruiken.

'Eikenhout wordt gebruikt voor masten op schepen, Winke,' vertelde haar vader toen ze de kruiwagen voor de laatste keer naar de opslagplaats reden. 'Ook worden er spoorwegbielzen van gemaakt, trappen, parket...'

'En hockeysticks!' riep Winke ineens uit.

Ze bukte zich en raapte een stuk hout op uit het gras. Triomfantelijk hield ze een gladde tak met aan het uiteinde een prachtige krul omhoog.

‘Krijg nou wat,’ mompelde haar vader.

‘Kijk eens pap, mijn handen passen precies om de steel!’

‘Geef die tak eens aan mij.’

Haar vader nam de tak in zijn hand. Hij schatte dat het stuk hout ongeveer een halve kilo woog.

‘Het is wonderlijk, Winke. Er zit zelfs een bolle kant aan. Zie je dat?’

Winke knikte.

‘Als ik hem met de vijl flink bijschaaf en de bovenkant van de steel met tape omwikkel, dan...’

Verder kwam hij niet.

‘Jippie!’ gilde Winke. ‘Ik heb een nieuwe stick. De bliksem heeft me een hockeystick cadeau gedaan!’

Urghhh! Arggh!

'Echt iets voor Winke,' zei Xandra, die dit zinnetje in haar twaalfjarige leven al minstens duizend keer had uitgesproken.

Op de eettafel lag de eikenhouten stick. Vlak onder de krul piepte een twijgje uit het hout. Net boven het handvat van tape zaten nog wat stukjes boomschors. Op verzoek van Winke had haar vader die laten zitten, zodat iedereen kon zien wat een bijzondere stick het was. Lucas Penninx was trots op zijn werk.

'Voel eens hoe glad het slagvlak is, Xandra.'

'Het is hard en glad, pap, maar het is niet bepaald een hippe stick. Met moderne sticks kun je volgens mij ook veel harder slaan.'

'Poeh,' zei Winke. 'Dat zullen we nog wel eens zien.'

'Ik denk dat Xandra gelijk heeft,' zei haar vader. 'Vroeger werden alle sticks uit één stuk hout gemaakt, maar dat heeft als nadeel dat de stick erg stug is. Eikenhout is ook niet zo soepel als bijvoorbeeld het hout van de es. Met sticks van essenhout kun je over grotere afstanden slaan zonder zere vingers te krijgen.'

'Mmmh,' bromde Winke. 'Het zal wel.'

'In India,' vervolgde haar vader onverstoorbaar, 'verstevigen ze het hout tegenwoordig met glasfiber en ander plastic spul. Dat zijn de modernste sticks. Zo eentje krijg je van mij, Winke. Dit is gewoon een gek ding om mee te klungelen.'

'Ho, ho,' zei Winke. 'Niet mijn stick beledigen, pap! Ik wíl geen nieuwe. Wachten jullie maar af. Dan zul je eens wat zien!'

Ze rende de trap op om op haar kamer de knalrode trainingsbal te halen. Maar waar was dat ding gebleven? In de vensterbank? Tussen haar boeken? Nee!

Beneden klonk het geluid van de keukendeur. De stem van Emma schalde door het huis. 'Goed nieuws! We zijn er weer. Ik ga naar Dibbes!'

Winke liep naar de overloop. 'Mam!' riep ze.

'Schreeuw niet zo, Winke. Wat is er?'

'Ik kan mijn trainingsbal niet vinden, die rode!'

'Heb je al in je laarzen gekeken?'

In haar linkerlaars vond Winke de trainingsbal. Ze stormde de trap af en riep tegen haar vader en oudste zusje: 'Kom kijken! Ik geef een demonstratie!'

Wat later stond ze midden in de tuin met de stick in haar handen. De bal lag in het gras, klaar voor de klap. Emma zat geknield bij het konijnenhok. Xandra en haar vader keken toe hoe Winke de stick naar achteren zwaaide…

'URGHHH! ARGGH!' bracht Emma kokhalzend uit. Ze sprong op, rende met een knalrood gezicht langs Winke, vloog de keuken binnen en spuugde daar kreunend iets bruinigs in de spoelbak. Winke had haar stick laten zakken. Haar vader en Xandra snelden naar de keuken. Emma huilde.

'Die... die keutels van Dibbes,' zei ze snikkend. 'Ik... urgghh!'

Haar moeder greep haar bij een arm.

'Wat is er met de keutels van Dibbes?'

'Urghhh. Arggh. Ze zijn niet lekker.'

'Wat? Hoe kom je zo dom om poep van een konijn te eten?'

'Nou, Winke zei...'

'Winke zei wat?'

De stem van Nancy Penninx was zo scherp als een mes.

'Dat het lekker is,' zei Emma. 'Zij heeft ook een keutel opgegeten. Ik heb het zelf gezien!'

'Spoel je mond met water en neem daarna een glas limonade,' zei haar moeder. 'Waar is je zus?'

Winke stond nog steeds op dezelfde plek in de tuin, doodstil, als een standbeeld. Het cadeautje van de bliksem had ze in haar handen. De bal lag onaangeroerd in het gras. Haar moeder kwam de tuin in gelopen.

'Winke!' brieste ze. 'Kom hier!'

Winke bewoog niet.

'Wat ontzettend stom van je om je kleine zusje zulke dingen wijs te maken.'

De linksbuiten staarde naar het gras. Haar moeder stond nu recht voor haar. 'Kijk me aan!'

Winke keek in twee woedende ogen.

'Ga je schamen! Emma zou hartstikke ziek worden. Besef je wel wat je hebt gedaan?!'

Winke knikte. 'Jawel, mama, maar met de juiste toverspreuk erbij is een konijnenkeuteltje soms gezond. Ik weet...'

Verder kwam ze niet.

'Hou op met die flauwekul!' riep haar moeder. 'Dat heb

je zeker weer uit die onzinboeken! Zeg sorry tegen je zusje.'

Winke liep de keuken in en bood Emma haar excuses aan.

'Goed zo. En nu ga je onmiddellijk naar je kamer.'

Smekend keek Winke haar moeder aan. 'Maar mam, ik zou mijn nieuwe stick proberen en...'

Haar moeder wierp een verbaasde blik op de hockeystick. 'Niks ervan! Geef dat ding maar aan mij.'

'Maar papa...'

'Niks papa. Hier die tak en naar je kamer!'

Haar moeder rukte de stick uit Winkes handen en greep haar in haar nekvel.

'Vooruit, naar je kamer! Die stick zet ik in de gangkast. Woensdagmiddag krijg je hem terug.'

Tranen van woede schoten Winke in de ogen, maar haar moeder was sterk en onverbiddelijk. De hockeystick kwam tussen paraplu's, de stofzuiger, oude kranten, winterjassen en lege schoenendozen terecht. De deur ging knarsend op slot. Pas over drie dagen, als Winke naar de training moest, zou ze de stick weer in handen krijgen.

'Ik wil mijn stick!' krijste Winke vanaf de overloop. 'Ik wil mijn stick!'

'Woensdag ben je de eerste,' zei haar moeder ijzig kalm.

Later op de avond, veel later, toen de rust allang was teruggekeerd en iedereen sliep, leek er iets heel zachtjes tegen de deur van de gangkast te tikken. Maar er was niemand die het hoorde.

De stick en ik

Op woensdagmiddag om precies drie uur stak Winkes moeder de sleutel in het slot van de gangkast. Achter haar stond Winke te trappelen van ongeduld. Ze vlóóg de kast in en omhelsde de stick alsof ze hem jaren had gemist. Even later zat Winke op haar fiets, haar hockeyrugzak met reflectorstrepen op de rug. Om haar linkerschouder hing de sticktas met haar nieuwe aanwinst. Op weg naar de training haalde ze eerst Sterre op, die naast Winke in de klas zat. Sterre stormde het huis uit toen Winke aanbelde.

'Hé, Winke,' riep ze uitgelaten. 'Heb je die nieuwe stick bij je?'

Winke trommelde met haar vingers op de sticktas. 'Zeker weten!'

Op school had Winke natuurlijk verteld over de bliksem en de eik. En hoe haar hockeystick zo'n beetje kant en klaar in de boom gehangen had. Haar klasgenootjes hadden erom moeten lachen. Echt weer zo'n gek verhaal van Winke.

'Laat hem eens zien?' vroeg Sterre gretig. 'Ik kan niet wachten.'

'Nee joh, dat doe ik straks wel. Als we Lisa oppikken.'

Pas bij het huis van Lisa haalde Winke de sticktas van

haar schouder. Lisa zat op een andere school. Zij wist nog niks van de nieuwe stick.

'Wat voor merk is het eigenlijk?' vroeg Lisa.

'Eik,' antwoordde Winke zonder na te denken. 'Het merk is eik.'

'Nike?'

'Nee, eik! E.I.K.'

'Daar heb ik nog nooit van gehoord,' zei Lisa. 'Wat voor kleur heeft-ie?'

'Hij heeft een boomkleur,' zei Winke. 'Hier is-ie!'

De wenkbrauwen van Lisa schoten een stuk omhoog toen Winke haar nieuwe stick tevoorschijn haalde. Zelf speelde ze met een blauw-roze stick van het merk Dita.

'Wat is dat nou?' riep ze uit. 'Er zit schors op die stick! En er groeit verdorie een twijgje uit, een takje.'

'Ja, cool hè?'

Lisa en Sterre keken naar de stick alsof ze water zagen branden.

'Getsie!' zei Sterre. 'In het midden zit roet of zoiets. Wat is dat voor smerig spul?'

'Dat ís geen smerig spul, Sterre!' zei Winke. 'Hij is een tikkeltje zwartgeblakerd door vuur uit de hemel. Ik vind dat mooi.'

'Wat?' riep Lisa uit. 'Vuur uit de hemel?'

Voorzichtig stak Winke de stick weer in haar tas, terwijl Sterre aan Lisa vertelde hoe Winke aan de stick was gekomen.

'Wat een gek verhaal,' zei Lisa. 'Echt knettergek!'

'Ik ben benieuwd wat Hatseflats ervan vindt,' zei Sterre,

die Ruben net als de andere speelsters stiekem naar diens favoriete aanmoediging noemde.

'Het kan me niet schelen wat hij vindt,' zei Winke stoer.

Het drietal fietste naar het sportpark. Sterre en Lisa praatten honderduit over kleren en make-up, maar Winke deed haar mond niet open. Ze dacht aan de smerige streek van Jürgen Kraak. Straks zou ze weer de plek zien waar het allemaal gebeurd was, voor haar een stuk besmet gras, een plek om met een grote boog omheen te lopen.

'Hoe is het eigenlijk met je blessure?' vroeg Sterre bij de fietsenstalling.

'Huh?'

'Je loopt weer te dromen, Winke. Ik vroeg hoe het met je been is. Je bent zaterdag toch op je stick gevallen?'

'Ja, ja,' antwoordde Winke. 'Het gaat wel.'

Sterre keek naar het litteken boven Winkes rechteroog. Op dat plekje had een hockeybal Winke geraakt toen ze werd afgeleid door een elfje. Althans, dat beweerde ze. Later had Sterre gevraagd of het misschien een vlinder was geweest.

'O, nee!' was Winkes antwoord geweest. 'Het was een elfje, met schoentjes van goud en haren van zilver. Zeker weten!'

'Echt waar?'

'Dat zeg ik toch! Je ziet ze heel zelden, Sterre, maar ik zag er eentje!'

Sterre wist niet zeker of Winke dit soort dingen verzon. Wel wist ze dat ze nog nooit zo veel bloed had gezien als op die dag. De druppels hadden aan Winkes lange wimpers gehangen. Ja, Winke zorgde altijd voor de nodige opwinding, hoewel het afgelopen zaterdag uit de hand was gelopen met de beschuldiging van die meneer. Daar begon Sterre maar niet over.

'Wel echt iets voor jou,' zei Sterre. 'Zo'n rare stick.'

'Ja, hè,' zei Winke met een grote glimlach.

De andere meiden keken ook vreemd op van Winkes nieuwe slagwapen.

'Straks groeien er nog eikeltjes uit,' zei Barbara.

'Drinken we eikeltjeskoffie na de training,' grapte Nicole.

Ruben had geen oog voor de merkwaardige hockeystick. Hij was druk in de weer met het neerzetten van oranje pylonen op het trainingsveld. Naar de blessure van Winke vroeg hij niet. De coach was nog altijd kwaad over de glijpartij van zijn linksbuiten. Door haar waren de kansen op het kampioenschap zo goed als verspeeld.

'U weet toch ook wel beter, meneer Penninx!' had Ruben in het telefoongesprek met Winkes vader gezegd. 'Een tackle met een paraplu! Kom nou! Uw dochter heeft te veel fantasie. Ze is een redelijke speelster, maar haar dromerij en verzinsels zitten haar lelijk in de weg. Weet u nog hoe ze vorig jaar tekeerging, toen het cornervlaggetje de grond raakte? Hoe zei ze het ook alweer? O ja, de vlag was ontheiligd!'

'Ja, ja, ik weet er alles van, Ruben,' was het antwoord van Winkes vader geweest. 'Laten we de hele kwestie...'

'En wat dacht u van die hoofdwond, nog geen twee jaar terug? Toen ze zogenaamd werd afgeleid door een...'

'Ja, ja,' had Lucas Penninx hem snel onderbroken, enigs-

zins beschaamd. 'Laten we het maar snel vergeten. Dat is inderdaad het beste.'

Ruben liet de meisjes tikkertje doen als warming-up. Daarna moesten ze de bal over de lengte van het veld drijven met twee handen aan de stick. De coach brulde aanwijzingen over het veld.

'Hou de bal rechts van je lichaam, Tessa! Rechts!'

'Kleine pasjes op je voorvoeten, Marjolein! Kléíne pasjes!'

'Meisjes, nu de stick in één hand. Ja, nu met één hand.'

Toen volgde er een samenspel met tweetallen. Winke en Sterre speelden elkaar de bal toe over een afstand van zo'n tien meter. Daarbij ging het volgens Ruben vooral om zuiverheid. Voor het eerst nam Winke een bal aan met haar nieuwe stick. Dat ging schitterend. De bal lag meteen dood in de krul.

'Top!' mompelde Winke.

Bij de derde slag raakte Sterre de bal verkeerd.

'Zuiverheid, Sterre!' galmde Ruben.

Winke rende achter de bal aan. Bij de bal aangekomen gaf ze het ding nog een paar tikjes, zodat hij op zo'n veertig meter van Sterre lag.

'Komt-ie!' riep Winke vol bravoure.

De coach schudde zijn hoofd. Deze afstand zou Winke nooit kunnen overbruggen.

'Als de wind goed staat, Winke, haal je het doel wel!' had Ruben wel eens op een eerdere training geroepen.

'Komt-ie,' riep Winke nogmaals.

Ze zette beide handen boven aan de stick voor een lange slag en zwaaide het hout naar achteren.

PAF!

Met een rotvaart vloog de bal over het kunstgras en eindigde precies op de stick van Sterre.

'Hatseflats, Winke! Goeie slag,' riep Ruben verbaasd. 'Goed op de stick gekeken, Sterre! Ga zo door, meiden!'

Toevalstreffer, dacht Ruben. Kan niet anders.

Tien minuten later moest een deel van de groep in een met pylonen afgezet vierkant twee tegen één spelen: lummelen. De aanvalsters mochten op doel slaan vanaf het randje van de cirkel. Ruben was net een lummel aan het coachen, toen hij achter zich een luid TOK! TOK! hoorde. Meteen daarna hoorde hij een verbaasde kreet van keepster Barbara.

'WAZDATNOU!' riep ze.

Ruben draaide zich om. Hij zag Barbara gestrekt in het gras liggen, met haar gezicht naar de slagplank gekeerd. De bal lag roerloos in het doel. Het TOK! TOK! was het bekende geluid geweest van een bal die via slagplank en zijschot in het doel gaat. Niets bijzonders. Maar de kreet van de keepster was wél iets bijzonders. Dat had Ruben haar nog nooit horen doen.

'Alles goed, Bar?' vroeg hij.

De keepster krabbelde moeizaam overeind en deed haar masker af. 'Nee,' zei ze met trillende stem. 'Nee, het is niet goed. Kom eens kijken. Je gelooft je eigen ogen niet.'

De coach en een drietal meisjes verzamelden zich rond het doel. Zwijgend wees Barbara naar een plek op de slagplank. Nu zag de coach het ook: in de rubberen bekleding van de plank zat een gat, een vérs gat.

'Wie sloeg die bal?' vroeg Ruben.

Alle ogen richtten zich op Winke, die zo'n twee meter buiten de cirkel stond. Ze blies op haar vingers. Haar gezicht was bleek.

'Ik,' zei ze. 'De stick en ik.'

Want zo voelde het voor Winke. Samen met de stick had ze geslagen.

'Het is gevaarlijk om van dichtbij op doel te slaan, Winke. Ik had gezegd dat jullie vanaf de cirkel moesten slaan!'

Hij keek Barbara aan. 'Tandartsen hebben al genoeg aan deze sport verdiend en...'

De keepster onderbrak hem. 'Ze sloeg zelfs van búíten de cirkel, Ruben. Ik had er goed zicht op, maar die bal ging zó hard. Ik zag er rook vanaf komen.'

Ruben staarde naar Winke. Nu pas zag hij haar nieuwe stick. 'Hé, wat is dat voor een stick? Laat me eens kijken.'

De coach nam de stick in zijn handen en bekeek hem van alle kanten. 'Hoe kom je hieraan, Winke?'

Winke vertelde van de bliksem en de boom.

'Je zult wel zere vingers hebben na die klap,' zei Ruben. 'Dit hout is enorm stijf, elke schokdemping ontbreekt.'

De speelsters staarden hem verbaasd aan.

'Ja, meisjes, in jullie hightech-hockeysticks zit de modernste vezel- en harstechnologie om de sticks flexibeler en sterker te maken. Allerlei ruimtevaartmateriaal dempt de vibratie en maakt de stick stootvast.'

'O?' reageerde Birthe, die er duidelijk niets van begreep.

Ruben keek Winke aan. 'Jij hebt in ieder geval een milieuvriendelijke stick, Winke!'

De meisjes lachten.

'Mmmh,' vervolgde Ruben, 'de krul zit tussen midi en maxi in, ik schat een hoek van een graadje of vijftig. Dat moet geen probleem zijn voor de bond. Volgens mij heeftie ook de juiste juniorenlengte. Kom eens hier.'

De coach zette de stick recht op de grond voor Winke. 'Hij komt precies tot je navel. Perfect!'

'Maar waar kwam die klap vandaan?' mengde Barbara zich in het gesprek. 'Zelfs bij de dames van het eerste slaan ze niet zo hard. En dan Winke met die dunne armpjes...'

'Ja, ja, Bar, wacht even. Ik heb hier nog wel een grip voor je, Winke.'

Ruben wikkelde oranje badstof om het uiteinde van de stick. 'Zo, dat dempt de schok een beetje als je een knal geeft. Laat het nog maar eens zien. Je mag ook pushen. Barbara, neem je positie in!'

De keepster ging op de doellijn staan.

'Ik push wel,' zei Winke.

Ze dribbelde de bal de cirkel in, waarbij de bal aan de stick leek te kleven. Vanuit de loop gaf ze met beide armen een flitsende duw.

KLENG!

De bal verdween in de linkerkruising. Het net sidderde en weer lag Barbara kansloos in het gras. Winke zelf leek een beetje geschrokken van deze uithaal.

Allemachtig! dacht Ruben. Hoe is dit mogelijk?

Hardop hakkelde hij: 'Ha... hatseflats, Winke. Mooie push, meid! Hopelijk doe je dat zaterdag ook.'

Ruben keek Winke aan. 'Hoe is het eigenlijk met je blessure?'

'Prima,' zei ze. 'Ik voel er niks meer van.'

De verdere training hield Ruben Winke scherp in de gaten. Hij zag Winke een bal met haar stick uit de lucht plukken waar ze voorheen in het niets gemaaid zou hebben. Haar balgevoel was enorm verbeterd. Dromen was er ook niet meer bij. Ze was alert en fanatiek. Aan het slot van de training mochten de meisjes de bal hooghouden op de stick. Winke kwam meestal niet verder dan vijf keer. Nu behaalde ze een score van vijftig. Vijftig keer! Met open mond stonden haar medespeelsters toe te kijken. Winke zelf was niet minder verbaasd. Wonderlijk was het allemaal. Na afloop staarde iedereen naar die merkwaardige stick van het merk Eik.

'Mag ik je stick even vasthouden?' vroeg Marjolein.

'Niks ervan,' zei Winke. 'Hij is van mij.'

'Doe niet zo kattig,' zei Birthe. 'Laat mij eens een klap met die stick geven.'

'Nee,' zei Winke. 'Hij is van mij.'

'Ach toe,' zei Sterre. 'Ik ben je vriendin. Laat mij even met jouw stick de bal hooghouden. Ik kom vast nog verder dan vijftig.'

'Nee,' zei Winke. 'Jij vond dat zwarte toch zo vies!'

'Ik snap er niks van,' zei Barbara. 'Elk schot van jou was raak. Hoe kan dat? Wat is er met die stick?'

Vlak voordat Winke op haar fiets stapte, gaf ze de keepster antwoord.

'Het is een *toverstick*, Bar. Nou goed!'

Barbara kon er niet om lachen.

Als bij toverslag

Winke zat op haar stoel diep na te denken. De stick lag op haar bed. Nooit eerder had ze zo goed gehockeyd. Nooit eerder was Hatseflats zo aardig voor haar geweest en nooit eerder had Winke zo veel jaloerse blikken gevoeld van haar medespeelsters. En dat alles door een stuk hout dat toevallig uit de lucht was komen vallen! Maar was dat wel toevallig? Eerst liet een zekere Kraak haar zo hard vallen dat haar stick kapotging. Nog diezelfde nacht werd de eik met een daverend KRAAK gekliefd en de volgende ochtend lag er een nieuwe stick klaar, inderdaad een toverstick, want met deze tak in handen was Winke ineens een soort Fatima Moreiro de Melo geworden.

Wat wás er met die stick? Winke ging op bed zitten en streelde het hout. Het voelde glad. Niks bijzonders. Ze snuffelde aan de schors. Het rook naar bos. Niks geks. Winke liet vervolgens haar tong over de bolle kant van de krul flitsen en proefde hout, doodgewoon hout. Ze staarde naar het twijgje. Lééfde het hout nog? Konden er aan haar stick inderdaad eikeltjes groeien? Het twijgje was niet langer of groener dan gisteren. Winke kwam geen stap dichter bij de oplossing van het raadsel. Toen besloot ze tegen de stick te gaan praten.

'Dank je wel voor de mooie show. Doe je tijdens de wedstrijd van aanstaande zaterdag ook zo je best?'

De stick gaf geen antwoord.

'We moeten uit spelen tegen Den Bosch. Zij zijn heel goed, maar als we winnen kunnen we misschien nog kampioen worden. Help je ons? Help je mij?'

De stick zweeg.

'Alsjeblieft, lieve stick!'

Winke legde haar oor op de stick alsof ze naar zijn hartslag luisterde. De stick had geen hart, maar toch ruiste er iets, héél in de verte. Het leek op het ruisen van bladeren in de wind. Heel even leek het hout te bewegen, misschien een millimeter, maar dat kan verbeelding zijn geweest.

'Winke?'

Het hoofd van Xandra verscheen om de hoek van de deur.

'Met wie zat je te praten?'

'O, met niemand.'

'Is Rick weer uit je neus opgedoken?'

'Nee, hoor.'

'Of kwam hij dit keer uit je navel!'

Winke reageerde niet.

'Nou goed, kom gauw naar beneden, want het is mij wél gelukt! Hij heeft ze alle vier aan en het werkt voortreffelijk!'

'O? Heb je een schoenlepel gebruikt of zo?'

Xandra grinnikte. 'Natuurlijk niet, gek! Kom!'

Dibbes zat doodstil op het parket. Zijn oortjes lagen plat op zijn kop en zijn staartje zwiepte zo snel heen en weer dat Winke er een beetje duizelig van werd. Om zijn pootjes zaten de roze en zwarte poetsschoentjes. Eerder had het konijn tegengestribbeld. Voor geen winterwortel ter wereld wilde hij de schoentjes aan. Winke had het na vijf pogingen opgegeven.

'Hij wil niet lopen,' zei Emma op klaaglijke toon. 'Hij is lui.'

'Tja, hij is van adel,' zei Winke. 'Konijnen van adel zijn niet gewend om te poetsen. Daar had ik aan moeten denken.'

'Schei toch uit met die onzin,' zei Xandra met een overdreven zucht. 'Denk liever na. Hoe krijgen we hem in beweging?'

'O, ik weet al iets,' zei Winke.

Ze liep naar de keuken en pakte een doosje rozijnen uit de kast. Haar oudste zus keek haar verbaasd aan.

'Lust-ie dat?'

'Jazeker,' riep Emma enthousiast. 'Dat is een snorhaargroeimiddel!'

Xandra tikte op haar voorhoofd. 'Doe eens gewoon, Emma.'

Ze richtte zich tot Winke. 'Is dat wel gezond voor een konijn?'

'Jazeker. Ik heb erover gelezen op een website over konijnen. Ze vinden rozijnen echt een lekkernij. Voor hen is het een soort Marsreep.'

'Of een Magnum,' zei Emma.

'Precies. Let op!'

Winke hield een rozijn voor het snuffelende snuitje van Dibbes. Zijn bekje ging gretig open.

'Nee, nee, Dibbes,' riep Winke. 'Eerst wat doen en dan krijg je lekkers.'

Ze liep naar het andere eind van de kamer. Daar legde ze het rozijntje neer. Nu kwam het konijn in beweging.

'Hij doet het!' gilde Emma. 'Kijk hem eens gaan! O, wat zal mama blij zijn. Hij maakt echt schoon!'

Bij de rozijn hield Dibbes meteen halt. Hij snuffelde eraan en maakte een slikbeweging. Vervolgens bleef hij rustig zitten.

'Wat nu?' vroeg Emma. 'Nu is alleen deze ene plank geboend.'

'Geen probleem,' riep Winke opgewekt.

Ze snelde naar de andere kant van de kamer en legde daar een nieuw rozijntje neer. Dibbes had het goed in de gaten, want onmiddellijk hupste het dier in een kaarsrechte lijn naar de rozijn.

'Jippie,' juichte Emma. 'Zo gaat-ie goed!'

Op deze manier werd het konijn de hele kamer door gedirigeerd. Na vijftien planken en evenveel rozijnen stopte Dibbes halverwege plank zestien. Hij maakte kokhalzende geluiden.

'Och jeetje!' riep Xandra. 'Hij is misselijk. Snel! Zet hem buiten. Zet...'

Maar het was te laat. Dibbes gaf over en midden op de parketvloer ontstond een plasje geel braaksel met daarin vijftien bruine puntjes: de onverteerde rozijnen. Het konijn liep nog een eindje door en bleef toen roerloos onder een stoel zitten.

'Wat is dat voor lawaai, dames?'

Nancy Penninx betrad het slagveld, haar laptop onder de arm. Haar spiedende blik bleef rusten op het gele plasje. Er viel een stilte. Xandra schraapte haar keel, maar zei niets. Emma staarde uit het raam.

'Nou,' zei Winke. 'Dibbes heeft het parket geboend, maar hij moest steeds worden gelokt met een rozijntje. Anders wilde hij niet lopen. Toen is hij misselijk geworden.'

'Een rozijntje?'

'Ja mam, een rozijntje. Dat heb ik van een konijnenwebsite. Wat voor ons bijvoorbeeld een Mars of een Magnum is, is voor een konijn een rozijn. Iets lekkers voor tussendoor.'

'Juist. Hoeveel rozijnen heeft Dibbes gehad?'

'Eh... nou... vijftien.'

'Vijftien? Wat denk je verdorie dat er in jouw maag gebeurt als je achter elkaar vijftien Magnums opeet?'

'Misselijk?' vroeg Emma.

'Ja, misselijk.'

Xandra probeerde weg te sluipen.

'Wat ga jij doen?' snerpte haar moeder.

'Ik moet nog huiswerk...'

'Dat kan straks wel.'

Nancy Penninx keerde zich naar Winke. 'Eerst maak je Emma misselijk en nu Dibbes. Straks zijn Xandra, papa en ik zeker aan de beurt?'

'Dat is niet de bedoeling, mam.'

'Gelukkig maar,' verzuchtte haar moeder. 'Goed, meiden, jullie ruimen de troep met z'n drieën op.'

Terwijl Xandra en Emma met een emmer en een dweil aan de slag gingen, deed Winke Dibbes z'n schoentjes uit. Ze bracht hem naar het buitenhok, zodat hij in de frisse lucht een beetje kon uitzieken.

'Hier heb je wat radijsjes, ouwe Dibbes. Kun je de vieze smaak wegkauwen.'

Het beestje liet de radijzen links liggen.

'Dan niet, uwe edele.'

Winke sloot het hok af en keek naar de eik. In de top van de boom schemerde alweer wat groenigs. Nee, de boom was niet dood. Winke miste de schommel, maar ze had er een soort huisje voor in de plaats gekregen. Als ze uit school kwam, ging ze altijd even 'de boom binnen', zoals ze dat noemde. Ook nu wrong ze zich door de spleet in het binnenste van de eik. Toen kreeg ze een idee.

Stel nou eens dat de stick reageert op de boom, dacht Winke. De eik is toch zijn moeder. Misschien missen ze elkaar.

Winke rende naar haar kamer en keerde terug met de stick. Ze wreef het slaghout tegen de boom, maar er gebeurde niets. In het binnenste van de eik deed ze hetzelfde.

'Hier is je tak. Je kindje. Voel maar! Ben je blij?'

De eik zweeg.

'Hallo, is daar iemand? Stickie, zeg eens wat!'

Maar ook de stick zweeg, hoe hard Winke de tak ook tegen de boombast drukte. Er gebeurde niks bijzonders. Winke had trouwens geen idee wat ze verwachtte dat er zou gebeuren. Wel kreeg ze een nieuw plannetje. Haar medespeelsters waren duidelijk jaloers op haar stick. Daarom was het tijd om voor eens en altijd duidelijk te maken van wie deze stick was. Winke zou haar naam erop zetten! Niet met een stift of pen. Nee, ze zou met een mes haar naam in het hout kérven. In de holte van de boom, met het puntje van haar tong uit haar mond, sneed ze wat later vijf letters in de stick. Daar stond het: WINKE.

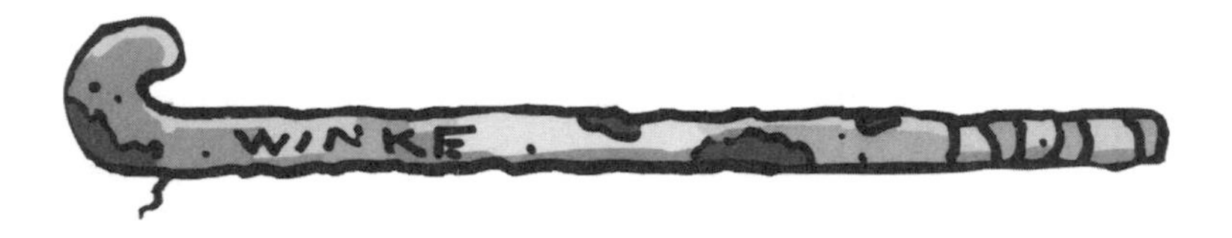

Die avond werd er aan tafel gesproken over computerspelletjes, het huiswerk van Xandra, de schoonmaakbeurt van Dibbes... en Winkes nieuwe stick.

'Deed-ie het goed?' vroeg haar vader.

Winke had uiteraard op deze vraag gerekend. Zou ze de waarheid zeggen? Zou ze haar ouders en zussen vertellen over de mysterieuze krachten van haar nieuwe stick? Winke wist dat ze haar niet zouden geloven, maar de drang om erover te vertellen was te sterk. Ze móést het kwijt.

'Nou, het is een geweldige stick. Ik kan er heel hard mee slaan. Wonderlijk is dat. Eigenlijk is het een soort *toverstick*. Ik...'

Iedereen schoot in de lach.

'Een toverstick! Echt iets voor Winke Potter,' zei Xandra. 'Jij hard slaan! Tssuh, ik sla harder met een wattenstaafje!'

'Je oude stick was zeker als bij toversläg gebroken,' proestte haar moeder.

'Kom op jongens,' zei haar vader. 'Even serieus. Even alle gekheid op een *stickje*!'

Iedereen lag dubbel, behalve Winke.

'Op haar kamer hoorde ik haar weer tegen een onzichtbaar iemand praten,' gniffelde Xandra.

'Is Rick terug?' vroeg haar moeder. 'Wat gezellig!'

Winke gaf geen antwoord.

Wacht maar af! dacht ze. Ik zal jullie met eigen ogen laten zien wat ik kan met deze stick! Jullie zullen nog eens wat meemaken!

Winke lepelde haar bakje vanillevla leeg, keek met haar zusjes televisie en vertrok na een nachtkus van haar ouders naar boven. Op de overloop wierp ze een blik op de deur van Xandra. Daar hing sinds kort een papier met de tekst: EERST KLOPPEN, EMMA! DAN WACHTEN OP ANTWOORD. HOOR JE NIETS? DAN WEGWEZEN!!!

Aan haar bureau las Winke nog een stukje uit *De halfbloed prins*. Ze kon haar aandacht er moeilijk bij houden. Steeds dwaalden haar gedachten af naar de toverstick. Voor het slapengaan haalde ze hem tevoorschijn. Ze streelde het hout en kreeg toen een schok.

'Wat is dit nou?' mompelde ze. 'Hoe... Wat...?'

Even was ze volkomen buiten adem, alsof ze net een wedstrijd had gespeeld. Waar was haar naam gebleven? Ze draaide de stick om en om en voelde met haar vingers aan de plek waar de kerven zaten. Bijna wanhopig zocht ze met haar ogen de hele stick af, zelfs de haak, maar het was echt waar: haar naam was verdwenen.

Slag met het puntje

Het was zaterdag 10 mei en het uitduel tegen Den Bosch stond voor de deur. Winke was nooit eerder zo nerveus geweest voor een wedstrijd. De mysterieuze verdwijning van haar naam blééf maar in haar hoofd rondspoken. Op school had ze sommen gemaakt, jaartallen uit haar hoofd geleerd, een dictee geschreven en in de ringen gehangen, maar geen moment had ze níét aan de stick gedacht. Thuis had ze een boterkoek gebakken (die was aangebrand), met Xandra gekibbeld, het hok van Dibbes verschoond en nog duizend andere dingen gedaan, maar steeds dacht ze aan haar uitgewiste naam. Haar naam opnieuw in het hout kerven had Winke niet gedurfd. De stick scheen het niet te willen. Nou, dan maar niet. In de auto van de familie De Winter op weg naar de hockeyclub in Den Bosch sprak Winke de stick zachtjes toe: 'Doe je weer je best? Hatseflats wil weer zo'n snoeiharde push zien. Kan dat? Alsjeblieft!'

Haar ouders kwamen wéér niet kijken. Haar vader moest Xandra naar paardrijden brengen en weer ophalen. Haar moeder moest werk afmaken. Ook ging ze bij oma op bezoek. Die was niet zo lekker.

'Kan tante Annelies niet naar oma?' had Winke gevraagd. 'Dan kun je me met de nieuwe stick zien spelen.'

'Nee, kind,' had haar moeder geantwoord. 'Annelies heeft daar geen tijd voor. Trouwens, ik heb jou vaak genoeg achter dat balletje aan zien rennen.'

'Maar kan papa dan niet een helftje kijken? Ik speel nu heel anders! Veel beter!'

'Nee, lieve schat. Hij moet Xandra naar het paardrijden brengen en ik moet nog werk afmaken.'

'Lekker geïnteresseerd zijn jullie,' had Winke gemompeld.

In de kleedkamer had Ruben eerst een mededeling van huishoudelijke aard, zoals hij dat noemde. De volgende training zou op donderdagmiddag om vijf uur zijn in plaats van op woensdag om halfvier. Of ze dat in hun oren wilden knopen?

'Ja!' gilden enkele speelsters.

'Ook Winke?' vroeg de coach. 'Doe jij ook een knoop in je oor?'

Vorig seizoen was Winke namelijk twee keer op het sportpark verschenen, terwijl er helemaal geen training was.

'Natuurlijk,' zei Winke. 'Het komt mooi uit. Dan kan ik woensdagmiddag weer een keertje naar het paardrijden van mijn zus kijken.'

'Die heeft zeker een toverzadel,' zei Marjolein grinnikend.

'Of een toverzweepje,' fluisterde Birthe. 'Met een handvat van goud, net als de schoenen van dat elfje.'

'Even serieus, meiden,' zei Ruben. 'Ik heb voor jullie vandaag maar één opdracht en die luidt: winnen! Als MOP een steek laat vallen, kunnen we misschien nog kampioen worden. Vergeet dat niet! En trouwens, de laatste partij van de competitie spelen we uit tegen die luitjes. Daar gaan we ook nog punten pakken!'

Alle speelsters juichten, behalve Winke.

Kraak, dacht ze. Dan zie ik die vreselijke Jürgen Kraak weer. Hopelijk laat die smeerlap zijn paraplu thuis en raakt hij me niet aan met zijn bevroren handen. Laat hij ze liever in de magnetron stoppen! De griezel!

'Kom op, Winke,' zei Ruben. 'Kijk niet zo moeilijk. Vergeet vorige week zaterdag! Ik wil je zien toveren met je nieuwe stick!'

Tijdens de warming-up kreeg Winke heel wat commentaar van de tegenstanders.

'Waarom neem je geen bezem?' vroeg een grappenmaker.

'Of de wandelstok van je opa!' riep een ander.

'Of het houten been van je tante!' zei nummer drie met een lach.

Maar tijdens de wedstrijd piepten ze wel anders. In de vijftiende minuut sloeg spits Birthe de bal hard tegen de linkerklomp van de Bossche keepster. Winke was de terugkaatsende bal al voorbijgelopen, maar sloeg met een razendsnelle beweging van haar polsen kort en krachtig boven op de bal.

'Goeie genade!' mompelde coach Ruben in de dug-out. 'Ze geeft een kópslag! Van wie heeft ze dat geleerd?'

Het effect deed de bal tollen. Met een kromme baan ging de bal langs de keepster in het doel: 0-1! Ruben sprong op. 'Hatseflats, Winke! Niet van dat benauwde! Ga door, meiden. Ga door!'

Winke werd door de andere meisjes omhelsd. Ze genoot met volle teugen, maar was ook verbaasd door die rare effectbal. Op die manier had ze nog nooit geslagen. Nog geen vijf minuten later gebeurde er weer iets prachtigs. In de loop gaf Winke een zéér hoge scoop die precies op de stick van rechterspits Carola terechtkwam. Carola mikte de 0-2 in het doel.

'Hatseflats Carola! Niet van dat benauwde!' brulde Ruben. 'Wereldpass, Winke! Ga door, meiden. Dit is klasse! Dikke klasse!'

In de rust aten de speelsters in de kleedkamer fruit, klaargemaakt door de moeder van Sterre. Alle ogen waren op de stick van Winke gericht. Ze hield hem met beide handen stevig vast.

'Winke,' zei Ruben, 'bij die eerste goal sloeg je de bal boven op z'n kop. Dat heet een kopslag. Raakte je die bal bij toeval? Of...'

'Ik heb erop geoefend in de tuin,' flapte Winke eruit. 'Ik wil graag beter worden, veel beter. Vandaar.'

'Ah, dat verklaart alles,' zei Ruben met een tevreden gezicht. 'Horen jullie dat, meiden? Thuis oefenen is erg belangrijk.'

Ruben nam een slokje van zijn thee. 'Gewoon zo doorgaan, meisjes,' zei hij. 'Ik zeg het nogmaals: als Vught verliest, worden we misschien nog wel kampioen!'

De speelsters spraken elkaar moed in, maar Winke was wat stilletjes. Zij had andere dingen aan haar hoofd. Vlak voor het rustsignaal was de stick in haar hand gaan trillen. Ze kreeg er pijn van in haar vingers. Soms had ze ook het gevoel dat de stick haar een bepaalde kant op stuurde. Griezelig was dat. Wel was het steeds een plek waar de meeste vrijheid lag, waar ze aangespeeld kon worden.

Klop! Klop!

Een van de scheidsrechters verscheen in de kleedkamer.

'Dames, gaan we weer?' vroeg hij.

'Natuurlijk gaan we weer,' riep Ruben. 'Kom op, meiden. Zet hem op! We gaan tot het gaatje!'

Winke zette hem zeker op. In de vijftigste minuut gebeurde het wonder. Ze gaf net binnen de cirkel met het puntje van de krul een tik op de bal. Meteen schoot de bal schuin omhoog. Voordat hij de grond raakte, ramde Winke de bal hoog door de goal achter de verblufte keepster: 0-3!

'Hatseflats, Winke!' gilde Ruben uitgelaten. 'Niet van dat benauwde!'

Nadat Winke door haar medespeelsters was gefeliciteerd, stond ze wat later alleen aan de zijlijn. Ineens hoorde ze een wonderlijk gezoem uit de stick komen. Of niet? Jawel! Het was een bijna onhoorbaar, zoemend, zacht zingen.

'Ben je ook zo blij met het doelpunt?' fluisterde Winke.

Vlak na deze droomgoal kwam de coach van Den Bosch op Ruben afgestapt. Hij wilde graag de achternaam van Winke weten.

'Ze heet Winke Penninx,' zei Ruben.

'Wat een geweldige speelster,' verzuchtte de coach van Den Bosch. 'Bij jullie thuiswedstrijd vond ik haar minder opvallend.'

'Ze maakt een stormachtige ontwikkeling door,' zei Ruben. 'Het is dat ik het met eigen ogen zie, anders had ik het niet geloofd.'

De coach van Den Bosch staarde naar de linksbuiten.

'Haar laatste doelpunt doet me denken aan die typische goals van Stella Artis. Die slag met het krulpuntje boven op de bal en dan de stick gebruiken als een soort honkbalknuppel. Geweldig!'

'Ja, ja,' zei Ruben. 'Die Stella Artis was een wereldspeelster. Ze is zo'n vijf jaar terug toch overleden?'

De andere man knikte. 'Ze was pas eenendertig jaar.'

Er viel even een stilte.

'Bijzondere stick heeft Winke.'

'Ja,' zei Ruben. 'Daar zit een mooi verhaal aan vast.'

Na de wedstrijd, die Boxtel met 0-3 had gewonnen, sprak de coach van Den Bosch de ster van het veld aan. 'Dag Winke,' zei hij. 'Mijn naam is Ben Stoute. Ik ben niet alleen coach van de D1 van Den Bosch, maar ook redacteur van ons clubblad, de *Bolle Krant*. Die r zetten we altijd tussen haakjes, hoor.'

Winke lachte. 'Leuke naam,' zei ze.

'Ja,' zei Ben Stoute, 'en ik...'

'Mag ik even storen, Ben?' kwam Ruben ertussendoor. 'MOP heeft ook gewonnen, Winke. Dan weet je dat.'

'Shit!' zei Winke.

'Niets aan te doen,' zei Ruben. 'Maar we blijven kans houden. Hopelijk verliezen ze volgende week punten.'

Ben Stoute nam het woord weer. 'Als redacteur ben ik altijd op zoek naar een leuk stukje, Winke. Nu heb ik van je coach gehoord hoe jij aan die bijzondere stick bent gekomen. Daar wil ik graag een paar regeltjes over schrijven in onze clubkrant. Vind je dat goed?'

Winkes hart zwol van trots. 'Natuurlijk! Hartstikke leuk!'

'Fijn. Dan wil ik je wat vragen stellen. Wil je ook op de foto met je stick?'

'Natuurlijk! Hartstikke leuk!' herhaalde Winke.

En zo stond er op maandagochtend 12 mei in de *Bolle K(r)ant* het volgende artikel:

Het tienjarige talent Winke Penninx is helaas geen lid van Den Bosch, maar wel van MEP uit Boxtel. Namens haar club speelde zij afgelopen zaterdag op onze velden, waarbij ze een nogal bijzondere stick hanteerde (zie foto). Bij navraag bleek dit slagwapen van eigen fabrikaat te zijn. Winke woont in een voormalige Boxtelse pastorie met een grote tuin. In die tuin staat een oeroude eik, die onlangs door de bliksem is getroffen. Daarbij sneuvelden zo'n beetje alle takken van de boom. Eén van die takken bleek een bijna kant-en-klare hockeystick. Na enig schaafwerk van Winkes vader was de stick klaar voor gebruik. Tegen onze eigen D1 scoorde de linksbuiten (wederom helaas) twee magnifieke doelpunten met haar 'toverstick', zoals ze haar nieuwe aanwinst noemt. Wij feliciteren Winke met haar doelpunten en gunnen haar een mooie hockeycarrière. Haar coach meldde ons dat zijn pupil een stormachtige ontwikkeling doormaakt en zei: 'Het is dat ik het met eigen ogen zie, anders had ik het niet geloofd.'

Het stukje werd nog diezelfde dag door de lokale kranten overgenomen. Ook de foto van Winke met haar stick werd afgedrukt.

Winke Penninx (10 jaar) met haar bijzondere stick

Stomme stick

Lucas en Nancy Penninx waren verbaasd over hun middelste dochter. Altijd hadden ze gedacht een middelmatige hockeyster in huis te hebben, en nu bleek ze volgens de krant ineens een talent te zijn! Ja, nu zouden ze vaker naar haar komen kijken, sterker nog, de volgende wedstrijd wilden ze graag zien.

'Zien jullie wel dat ik heel goed ben geworden,' had Winke parmantig gezegd. 'Waarom geloofden jullie me nou niet?'

De juf en de klasgenootjes van Winke hadden de krant ook gelezen. Ze kreeg complimentjes en iedereen was nieuwsgierig naar haar toverstick. Kon ze dat ding niet eens mee naar school nemen? Of er een mooi opstel over schrijven? Winke was toch zo goed in opstellen schrijven over rare dingen?

Winke was apetrots op haar stick, maar drie dagen na de wedstrijd in Den Bosch maakte het slagwapen haar boos en wanhopig.

'Kom dan! Verdorie, kom dan!' Uit alle macht probeerde ze de hockeystick op te tillen, maar dat lukte haar niet! Het ding leek wel duizend kilo te wegen.

'Dit is je reinste tovenarij!' riep Winke uit. 'Goed, stomme stick, ik zal wat toverspreuken op je loslaten.'

Winke probeerde allerlei spreuken van Harry Potter. In de boeken over haar held hadden dergelijke spreuken gevaarlijke tovenaars als Voldemort onschadelijk gemaakt of fabeldieren genezen. Maar hier, op Winkes kamer, gebeurde er natuurlijk geen fluit. Het bleef onmogelijk om de stick op te tillen.

'Ben je soms moe?' vroeg Winke.

Er kwam geen antwoord.

'Of ben je boos op me, omdat ik mijn naam in je gesneden heb? Is dat het?'

Het bleef stil.

'Kom je mee, alsjeblieft?'

Maar hoe ze ook trok, schold en smeekte, de stick bleef loodzwaar op het tapijt liggen. Net nu Winke in de tuin een balletje wilde slaan om haar techniek te verbeteren, want ze was echt fanatiek geworden. Ze was ook een beetje ongerust. Zou ze nog steeds zo goed zijn? Zou ze het nog kunnen?

Wat nu? dacht Winke. Stel dat de stick donderdag ook niet van zijn plaats wil komen! Hoe moet ik dan trainen? Of nog erger: de stick wil zaterdag niet spelen. Wat dan? Komen mijn ouders een keer kijken en dan...

Ze snapte er niks van. Hoe kon de stick ineens zo zwaar zijn? Of lag het aan haar? Was zíj ineens slap geworden?

Winke liep de trap af, opende de gangkast en haalde de stofzuiger tevoorschijn. Met beide armen gestrekt, als een gewichtheffer, tilde zij het metalen apparaat boven haar hoofd. Nee, aan haar spierballen lag het niet. Ze zette de stofzuiger terug in de gangkast. Wat nu? Kon iemand haar maar helpen! Maar haar vader was op zijn werk, haar moeder was met Emma naar het zwembad en Xandra was nog op school. Aan Sterre had ze niks. Die was alleen maar jaloers en véél te nieuwsgierig. Winke ging terug naar haar kamer. Ze raakte een beetje in paniek.

'Goed, ik waarschuw je voor de laatste keer,' zei ze tegen de stick. 'Als je nu niet meekomt, steek ik je in brand!'

Ze bukte zich en trok met volle kracht aan de stick, maar er was nog steeds geen beweging in te krijgen. 'Toe dan!' smeekte ze. 'Kom op! Kom op dan, verdikkeme!'

Maar de stick bleef loodzwaar.

'Oké, je hebt je kans gehad,' zei Winke op de toon van een boze moeder. 'Ik ga nú naar de keuken en haal daar lucifers. Zeg het maar.'

De stick hield zich stil. Toen haalde Winke daadwerkelijk een doos lucifers. Dreigend duwde ze wat later het zwavelkopje van een lucifer tegen de hockeystick, maar het hielp niet. Ze stak de lucifer aan en hield het vlammetje tegen de krul.

'Zo!' zei Winke. 'Hoe voelt dat? Zal ik...'

SSSSSJJJHHH!

Er klonk een sissend geluid alsof er een slang in het hout zat, gevolgd door een uithaal van de stick. Winke werd vol geraakt op haar rechter grote teen.

AUWHOEI!!

Haar kreet van angst en pijn was door het hele huis te horen. De lucifer was meteen uitgegaan. Ook Winke was een soort 'uit'. Ze beefde over haar hele lichaam.

'Sorry, stick,' zei ze snotterend. 'Sorry. Ik laat je met rust. Echt waar. Ik laat je met rust.'

En ze maakte dat ze beneden kwam.

In de keuken legde ze de lucifers terug in de la en nam een groot glas ijsthee. Daar kwam ze weer een beetje van bij. Had ze dit gedroomd? Nee! Haar teen deed zeer en ze had met eigen ogen gezien hoe dat gekomen was. Wat was er toch aan de hand met die stick? Na ongeveer een kwartier trilde ze niet meer en nam ze een besluit. Uit de paraplubak in de gang pakte ze haar oude stick van de mini's. Dan ging ze maar met dit jeugdstickje in de tuin oefenen, want oefenen wílde ze. Even later probeerde ze de trainingsbal te laten tollen door een kopslag, maar na tig pogingen lukte dat maar half.

'Dan nu de nektruc,' zei Winke hardop. 'Dames en heren, let op!'

Ze wipte de bal vanaf haar stick omhoog en stak snel haar hoofd onder de zwevende bal. Nu moest hij in het kuiltje in haar nek terechtkomen, zoals vlak na de wedstrijd tegen Den Bosch was gebeurd. Toen had Winke deze truc voor het eerst van haar leven met succes uitgevoerd. Nu zou het dus...

'Au!'

Winke wreef over haar pijnlijke schedel. Daarna gaf ze de bal een trap.

'Au, mijn zere teen!' gilde ze. 'Au, au!'

Winke stond in de tuin te dansen van pijn toen er ineens een krakende stem klonk.

'Gaat het, meisje?'

Naast de eik stond een vrouw in een paarse jurk. Aan haar voeten droeg ze schoenen met idioot hoge hakken. Aan haar polsen rinkelden minstens tien gouden en zilveren armbanden en aan haar linkerduim zat een knots van een ring, een koperkleurige met een rode steen. Maar het opvallendst waren toch haar ogen. Ze waren pikzwart en glinsterden als diamanten.

'Gaat het?' vroeg de vrouw nogmaals.

'Eh... jawel,' stamelde Winke. 'Hoe komt u hier binnen?'

'Door de poort.'

'Ah, door de poort. Maar waarom? Wat dóét u hier?'

De vrouw wees op de oude eik.

'Daarom ben ik hier,' zei ze toen. 'Dat is een heilige boom. Wist je dat?'

Nee, daar had Winke nog nooit van gehoord. Een heilige bóón kende ze wel. Dat was Kasper Janssen uit haar klas. Altijd saai, braaf en gehoorzaam.

'Nee,' zei Winke. 'Dat wist ik niet.'

'Ach,' zei de vrouw. 'Er zijn maar weinig mensen die het weten.'

Winke besloot de vrouw niet in de flakkerende ogen te kijken. Ze zou het geen seconde volhouden. Die ogen zouden haar misschien wel blind maken met hun licht. Was dit nou een heks? Op haar kamer stonden minstens vier boeken over heksen. Ja, dit kon best wel eens een heks zijn, besliste ze. Winke bleef staan waar ze stond en hield de ministick stevig vast.

'Weet je wat een heilige boom is?'

Winke schudde haar hoofd.

'Ik zal het je vertellen, meisje. Onze voorouders hadden een diepe verering voor bomen. De alleroudste, allerhoogste, allermooiste bomen werden aanbeden als goden. Wie zo'n boom beschadigde, kreeg een zware straf. Een tak eraf kostte je een vinger. Als je de bast kapotmaakte, ging er een stuk van je huid af. Ja, kijk maar niet zo benauwd. Zo ging dat in die goeie ouwe tijd.'

Waar bleef mama? Waar bleef papa? Waar bleef Xandra?

'Deze eik stamt uit 1250 en is dus precies 758 jaar oud. Honderdduizenden mensen hebben deze en andere heilige bomen als een geliefde omhelsd. Dat gebeurt overigens nog steeds. Weet je waarom?'

Winke schudde haar hoofd. Ze voelde zich misselijk en in de war. Winke had vaak genoeg in het bos een tak van een boom getrokken. Kwam deze vrouw haar vingers eraf hakken? Dan zou ze nooit meer kunnen hockeyen.

'Sommige mensen omhelzen bomen,' zei de vrouw, 'om al hun slechte gevoelens en gedachten in de boom te laten stromen. Op die manier verdwijnen je angsten. Andere mensen hopen juist iets uit bomen te krijgen, bijvoorbeeld kracht of troost.'

De vrouw tuurde naar de geblakerde top van de boom.

'Wie bent u?' stamelde Winke.

'Noem mij maar mevrouw Holda.'

'Waarom bent u hier?'

'Ah, je wilt snel ter zake komen. Heel goed. Ik las in de krant dat jij van een tak van deze heilige eik een hockeystick

hebt gemaakt. Sindsdien maak je – hoe stond het er ook alweer? – een "stormachtige ontwikkeling" door. Je trainer kan zijn ogen bijna niet geloven. Dat stond er ook. Welnu, een tak van een heilige boom kan mágische eigenschappen hebben. Zoiets kan geváárlijk zijn, meisje. Ik kom je dus waarschuwen!'

Winke voelde de zwarte ogen op haar huid branden.

'Is niet nodig,' zei Winke snel. 'Alles is prima, mevrouw Holda.'

'Ach zo,' snerpte de vrouw. 'Alles is prima.'

Er viel een akelige stilte.

'Waarom speel je dan nu niet met je "toverstick", zoals jij je nieuwe stick noemt?'

Winke voelde haar wangen rood worden.

'Gaat u niks aan,' zei ze toen. 'Gaat u alstublieft weg. Mijn vader komt zo thuis. Mijn moeder trouwens ook.'

De vrouw lachte schor. 'Luister!' commandeerde ze. 'Loop nou eens met gesloten ogen naar je oude eik. Telkens zul je denken: nú loop ik ertegenaan! Maar nee hoor, deze boom blijkt altijd verder van je af te staan dan je denkt. Wat je voelt is de krácht van heilig hout. Dáár bots je tegenaan! Probeer het maar!'

Voor geen prijs wilde Winke in het bijzijn van deze heks haar ogen sluiten. Voor geen stick van puur goud.

'Gaat u toch weg, mevrouw Holda!' riep ze. 'Ga weg!'

De vrouw schudde haar hoofd, bedroefd, zo leek het. 'Ach, ach, Winke Penninx. Nou goed, als je nóg meer problemen krijgt, kun je altijd bij me langskomen. Dag en nacht. Hoor je me? Dag en nacht!'

Winke gaf geen antwoord.

'Ik woon in de Achterstraat in Den Hout. Daar staat eveneens een heilige eik uit 1250. Daar logeer ik, samen met een Vlaamse gaai en een winterkoninkje. Ook in die eik is de bliksem ingeslagen. Het binnenste van de boom is weggebrand en in die mooie, nieuwe ruimte heb ik nu mijn huisje.'

Voorzichtig keek Winke de vrouw voor het eerst in de ogen. Het was alsof ze recht in de zon keek. Ze sloeg snel haar blik neer.

'Ik héb geen problemen,' zei ze met trillende stem. 'En ik geloof niks van wat u zegt. Hoort u, helemaal niks!'

'Mooi,' snerpte de vrouw. 'Je hebt dus geen problemen. Dan kan ik met een gerust hart vertrekken.'

Ze liep in de richting van de poort, maar bij de eik stond ze stil. Mevrouw Holda begon te mompelen. *'Malus sylvestris. Acer campestre. Betula pubescens. Clematis vitalba. Erica tetralix. Viscum album. Tilia platyphyllos.'*

Waren dit toverspreuken? Winkes hart sloeg een slag over, maar ze werd ook ontzettend nieuwsgierig.

'Wat zegt u allemaal? Het lijken wel toverspreuken uit Harry Potter, u weet wel, die kin...'

'Allemaal kabouterpraat!' grauwde mevrouw Holda. 'Je leeft verdorie niet in een kinderboek, meisje. Dit is écht!'

Ineens wees de vrouw naar het konijnenhok. 'Dat hok staat op de wind. Zo zal je konijn kouvatten.'

Het waren haar laatste woorden.

Blindevrouwtje spelen

Mevrouw Holda was de poort nog niet uit of Winke rende het huis in en deed de deur op slot. Vanuit het raam in de huiskamer zag ze de vrouw wegrijden op haar fiets.

'Ze is dus niet met de bezem,' mompelde Winke. 'Ze zet er wel de sokken in, zeg. Jeetje, wat een haast!'

Na tien minuten dacht Winke dat de kust wel veilig was. Ze zette de ministick in de paraplubak en liep de tuin in. Daar dacht ze nog eens diep na over alle onbegrijpelijke gebeurtenissen van de laatste dagen: haar onverwachte hockeykunsten, de verdwijning van haar ingekerfde naam, het trillen en zoemend zingen van de stick, de plotselinge zwaarte ervan, de tik op haar teen. Kraak doemde ook weer in haar hersens op. Die kerel móést op de een of andere manier met al deze merkwaardige zaken te maken hebben.

'Magie,' mompelde ze. 'Heilige eik.'

Winke staarde naar de boom, schatte de afstand, sloot haar ogen en strekte haar armen voor zich uit. Toen liep ze op de eik af. Ze deed vijf passen. Was ze er al? Winke deed nog twee voorzichtige pasjes. Ja, nu zou ze absoluut de boom met haar handen kunnen raken. Het voelde alsof ze er

een centimeter vanaf stond. Ze opende haar ogen. De boom stond zeker twee meter verderop.

Hoe kan dat nou? dacht Winke. Heeft dat mens dan toch gelijk?

Weer deed ze haar ogen stijf dicht. Ze deed twee stappen naar voren. Nu voelde ze iets op haar vingertoppen, alsof er wind tegenaan blies. Was dit de kracht van heilig hout? Was dit dan die...

'Hé Winke! Wat ben jij nou aan het doen?' Xandra denderde de tuin in.

'Speel je blindemannetje? Probeer je Rick te vangen?'

Geschrokken staarde Winke haar zus aan. 'Eh nee, ik...'

'Echt iets voor jou. Blindemannetje in je eentje. Of beter gezegd: blindevrouwtje. Is mama al thuis?'

Winke schudde haar hoofd.

'Is er wat?' vroeg Xandra argwanend. 'Je kijkt zo raar.'

Nogmaals schudde Winke haar hoofd. 'Nee, er is niks.'

Van buiten de poort klonk een fietsbel.

'Goed nieuws!' riep Emma, toen ze met haar moeder door de poort de tuin in stapte. 'We zijn er weer! Ik ben van de hoge geweest!'

Wat later reed ook de auto van hun vader voor. Om klokslag zes uur aten ze spaghetti. Toen de laatste sliertjes in hun monden waren verdwenen, vertelde Winke over het vreemde bezoek. Wat ze al vreesde gebeurde: ze geloofden haar weer niet.

'Ja hoor, de eik is heilig,' sneerde Xandra. 'Je fantasie is weer eens op hol geslagen, net als mijn paard woensdag. Bruno was helemaal gek.'

'Hoe heette die vrouw dan?' vroeg Winkes moeder.

'Mevrouw Holda. Althans, dat zei ze. Het is eerder héks Holda.'

'Tja,' verzuchtte haar moeder. 'Ik kan niks met zo'n verhaal, lieverd.'

'Ze woont dus in een holle boom in Den Hout?' vroeg haar vader.

Winke knikte. 'Dat vertelde ze me.'

'Ze was op de fiets?'

Winke knikte opnieuw.

'Nou, dan moest ze een eind fietsen. Van Boxtel naar Den Hout is algauw een kilometer of zestig. Met de auto is dat drie kwartier rijden.'

'En dan steeds die lange jurk tussen de fietsketting,' kwam Xandra ertussendoor. 'Zoiets geeft natuurlijk ook vertraging.'

Emma kreeg de slappe lach.

'Goed, ze heeft dus ogen zo fel als de zon,' vervolgde Xandra. 'Mmmh, lekker bruin worden met die mevrouw Holda. Daar heb ik wel zin in!'

Nu was Winke wel gewend dat er aan haar fantastische verhalen werd getwijfeld. Daar had ze meestal geen moeite mee. Er waren nu eenmaal mensen die niet in elfjes en onzichtbare vriendjes geloofden. Maar nu werd ze toch boos.

'Ik verzin niks!' riep ze kwaad. 'Ik...'

Heel even weifelde ze. Toen zette ze door. 'Ik zal jullie vertellen dat ik mijn toverstick niet meer op kan tillen. Hij is loodzwaar en...'

Xandra sprong van haar stoel. 'Dat valt te controleren!'

Ze wilde al naar boven rennen, maar Winke gilde: 'Niet naar mijn kamer! Daar ligt mijn stick te rusten. Je mag hem niet storen. Ik...'

'Zo is het wel genoeg, Winke,' zei haar moeder streng. 'Wat is dit voor raar gedoe! Een stick die moet rusten! Xandra! Ga zitten. We eten rustig een toetje en dan wil ik niets meer over die onzin horen.'

Ze aten met zijn allen zwijgend van de chipolatapudding. Daarna vulde Xandra de vaatwasser en gaf Winke Dibbes te eten. Op de televisie was een leuke film en die hele avond werd niet meer over de geheimzinnige vrouw of de toverstick gesproken, maar dat veranderde toen Winke naar bed moest.

'Papa,' zei ze tegen haar vader. 'Kom je mee naar mijn kamer? Ik durf niet zo goed alleen.'

'O?' zei Lucas Penninx verbaasd. 'Dat is goed, meid. Ik loop wel even mee.'

Op de kamer van Winke lag de stick nog precies op dezelfde plek, roerloos en zwijgend.

'Wil jij hem optillen?' vroeg Winke.

'Natuurlijk.' Haar vader bukte zich en raapte zonder moeite de stick van de vloer. 'Kijk eens, alsjeblieft!'

Winke voelde de stick in haar handen. Niks bijzonders.

'Moet je nou eens kijken,' zei haar vader. 'Uit het twijgje groeit een blaadje! Zie je dat? Wat grappig.'

Winke voelde voorzichtig aan het blaadje. Het voelde leerachtig, als hulst uit de kerststukjes.

'Welterusten, Winke.'

'Welterusten, pap.'

Later op de avond zaten Winkes ouders te praten over hun middelste dochter.

'Wat dat kind allemaal niet verzint, Lucas!'

'Tja,' zei Winkes vader. 'Zo erg is het nog nooit geweest. Misschien heeft het te maken met dat artikel in de krant en al die aandacht. Daar is ze volgens mij een beetje nerveus van geworden. Er wordt nu natuurlijk veel van haar verwacht.'

'Xandra is vreselijk jaloers.'

'Ja, dat heb je met een beroemde zus.'

'En,' vroeg Winkes moeder met een schalks lachje. 'Kon je de toverstick optillen?'

'Schat, hij was als een veertje.'

Ogen als een toverbal

Na een saaie ochtend op school zat Winke met haar zusjes en moeder in de auto. Ze waren op weg naar de manege in Berlicum, waar Xandra paardreed. Winke was één keer eerder mee geweest. Ze vond paarden leuk om te zien, maar op zo'n beest zitten vond ze niks.

'We gaan nu vijfenvijftig kilometer per uur,' zei Winke vanaf de achterbank. 'Ah, nu gaan we zesenvijftig! Goed zo, mama. Nu gaan we achtenvijftig. Kom op, mam, harder! Je kunt het! Op naar de zestig!'

Xandra draaide zich om. 'Je mag hier maar vijftig hoor, Winke. Zie je die verkeersborden niet?'

'O, maar dat is per persoon,' zei Winke met een stalen gezicht. 'Wij zijn met z'n vieren en mogen dus tweehonderd.'

'Nietes!' riep Emma.

'Oké,' zei Winke tegen haar jongste zus. 'Jij bent nog klein en telt voor de helft mee. We mogen dus honderdvijfenzeventig.'

'Niet!' riep Emma.

Hun moeder nam wat gas terug. 'Aan jou zijn de verkeerslessen goed besteed geweest, Winke. Let op, we gaan hier de snelweg op. Straks gaan we over de honderd!'

'Goed zo!' juichte Winke.

De rest van de rit bleven de zusjes naar de snelheidsmeter op het dashboard kijken. Achter hun auto, op zo'n vijftig meter afstand, reed een inktzwarte sportauto. De chauffeur trommelde nerveus op het stuur.

Xandra zat al snel op haar favoriete paard, Josina, een bruine merrie die heel mak was. Op de eerder op hol geslagen Bruno wilde ze nooit meer rijden. Haar moeder en Emma stonden aan het hek bewonderend toe te kijken hoe Xandra haar rondjes reed, maar Winke verveelde zich.

'Waarom heeft een paard geen vleugels, mam?' vroeg ze. 'Dan gaat zo'n rondje veel sneller.'

'Waarom heb jij geen staart?' vroeg haar moeder op haar beurt. 'Daarmee zou je al die vervelende vliegen weg kunnen slaan.'

'Ja, een waterstaart,' zei Winke. 'Dat zou prachtig zijn. Kan ik ook de paarden een wasbeurt geven. Ze zijn zo stoffig!'

'Wat is een waterstaart?' vroeg Emma.

'Een fontein uit je billen,' zei Winke.

'O?'

Haar moeder keek Winke streng aan. 'Zeg toch niet zulke rare dingen tegen je zusje.'

'Jij begon zelf over een staart!'

'Goed, ik geef het op. Letten jullie nu maar op Xandra. Kijk eens hoe keurig ze rijdt. Zien jullie hoe kaarsrecht ze haar rug houdt?'

Even viel er een stilte. Alleen het klop-klop-klop van paardenhoeven klonk.

'Hoe is het eigenlijk met Sterre? Je neemt haar nooit meer mee.'

'Neuh,' zei Winke. 'In mijn vrije tijd wil ik oefenen voor de hockey, in mijn eentje.'

'O gezellig,' reageerde haar moeder. 'Ik dacht dat hockey een teamsport was.'

Winke keek om zich heen. 'Mam, ik wil even naar de stallen.'

Haar moeder dacht een moment na. 'Dat is goed,' besliste ze. 'We zien je over een halfuurtje weer hier. Oké?'

Winke knikte.

'Haal je geen rare dingen uit? Ga je niet achterstevoren op een paard zitten?'

'Poeh, ik kijk wel uit,' zei Winke.

Bij de stallen rook het erg naar paard; een sterke, doordringende geur. Af en toe klonk er een zenuwachtig gesnuif van de dieren. Sommige staldeuren stonden half open. Winke gluurde naar binnen. Ze zag drie pony's en een meisje van een jaar of achttien dat een zadel poetste.

'Zoek je iets?' vroeg ze vriendelijk.

'Eh... een echt móói paard,' flapte Winke eruit. 'Niet van die kleintjes. Zo'n paard als van Anky van Grunsven. Zo'n grote. Zo'n glimmende.'

Het meisje lachte. 'Dan moet je bij de pensionstallen zijn. Daar staan twee dressuurpaarden. Ze hebben van die strikjes in hun manen.'

'Waar zijn die, de pensionstallen?'

'Bij de kantine links. Je loopt langs de wasplaats en dan zie je vanzelf een splinternieuw gebouw. Daar is het.'

Even later stond Winke bij de ingang van de pensionstallen. Ze liep naar binnen. In de boxen zag ze inderdaad twee enorme paarden staan, een zwarte en een lichtbruine. Beide dieren hadden hun hoofd door de tralies gestoken en aten traag van hun hooi. Aan de muur hingen afgesloten zadelkasten. In een houten krat lagen wortels. Behalve de paarden en een enkele vlieg was er geen levend wezen te bekennen.

'Dag paarden,' zei Winke.

Er klonk een zacht gehinnik.

'Willen jullie een wortel?'

Winke liep naar het krat en pakte twee wortels. Voorzichtig hield ze het zwarte paard een wortel voor. Met zijn gele tanden rukte het dier de lekkernij uit Winkes handen.

'Gossiemijne,' piepte ze. 'Dat is schrikken.'

De andere wortel legde ze in de voederbak van het lichtbruine paard. Dat leek haar veiliger. Het dier schrokte de wortel in twee happen op.

'Smaakt het?' vroeg Winke. 'Wat zeg je? Heerlijk? Fijn!'

Ze bekeek beide paarden aandachtig. 'Zeker wel lekker zo zonder zadel en stijgbeugels? Alleen jammer van die strikjes. Manen moeten wapperen, vind ik, maar ja, ik draag zelf ook een paardenstaart, anders komt al dat haar voor mijn ogen. Daar zullen jullie ook wel last van hebben. Toch?'

De dieren bewogen opeens heftig hun oren. Het zwarte paard stampte met zijn hoeven op het stro.

'Ja, ja, jullie zijn sportieve beesten. Gaan jullie nog Olympisch goud winnen? Ik word misschien wel kampioen met de hockey. Ik...'

Verder kwam Winke niet, want ineens voelde ze een ijskoude hand op haar schouder. Een honingzoete stem zei: 'Kijk eens aan, het meisje met het rare loopje. Ook toevallig dat ik jou hier tref. Ik wilde je net wat vragen.'

Jürgen Kraak droeg dit keer zwarte instappers, rode handschoenen en een chic kostuum. In zijn linkerhand hield hij een zweepje.

'Wat... Wat doet u hier?'

De lach van Kraak bulderde door de stal.

'Die is goed,' zei hij proestend. 'Dit zijn verdorie míjn paarden. Dit zijn míjn boxen, meisje. De vraag moet zijn: wat doe jíj hier?'

Winke slikte iets weg. 'Ik wilde even kijken. Het mocht van...'

'Ja, ja,' zei Kraak. 'Laat maar, meisje. Ik...'

'Ik heet Winke Penninx.'

Kraak keek Winke spottend aan. 'Dat weet ik, meisje met het rare loopje. Dat weet ik uit de krant.'

De ogen van Kraak leken opeens te verkleuren. Blauw werd zwart.

'Ik heet Winke! En ik moet naar mijn moeder,' zei Winke. 'Die wacht op me.'

'Niet zo'n haast, liefje. Niet zo'n haast. Ik wil je toch eerst wat vragen. Laten we even een babbeltje maken.'

Kraak sloeg met het zweepje op de binnenkant van zijn rechterhand. Het was een griezelig geluid. Winkes knieën begonnen te bibberen. Ze vocht ertegen, maar ze kon er niks aan doen.

'Wa-wat wilt u vragen?'

Nu begon ze ook nog te hakkelen.

'Het is een simpele vraag, meisje. Die zogenaamde toverstick van jou. Ik bied je daar vijfhonderd euro voor. Wanneer kan ik hem komen halen?'

'Die is niet te koop,' zei Winke meteen.

De man liet weer een bulderende lach horen. 'Álles is te koop, liefje. Ik ben een rijk man. Goed, ik geef je vijfdúízend euro voor die tak. Akkoord?'

Winke schudde haar hoofd. 'Hij is niet te koop.'

In de ogen van Kraak verscheen een ontevreden blik. 'Hoe bedoel je?'

'Wat ik zeg. Hij is niet te koop. Hij is van mij.'

Kraak deed twee passen in de richting van Winke. Ze deinsde terug.

'Wat... Wat moet u er trouwens mee?'

De man gaf geen antwoord.

'Wilt u hem voor uw dochter kopen? Nou, dat zal niet helpen, want ze kan er echt niks van. Ik...'

Verder kwam Winke niet, want Kraak barstte uit als een vulkaan. Nooit eerder in haar leven had Winke iemand zó kwaad gezien. Kraaks gezicht was lijkbleek geworden. Uit zijn oren leek stoom te spuiten.

'Wel verdorie!' schreeuwde hij met een bijna onmenselijke stem. 'Hou je kop over mijn dochter of ik doe je wat!'

De paarden reageerden schichtig op al dit lawaai. Nerveus stootten ze met hun hoofden tegen de tralies. Winke stond als versteend in de stal. Kraak hief zijn rijzweep in de lucht en sloeg tegen een zadelkast aan.

PATS!

Het geluid dreunde na in Winkes oren. Ineens greep Kraak haar bij haar arm beet. Winke wilde gillen, maar ze kon niet. Haar keel zat dichtgeschroefd van angst.

'Goed, Winke Penninx,' fluisterde de man in haar oor. 'Dan kom ik die stick wel halen zonder een cent te betalen. Nóg beter.'

Winke worstelde om los te komen. Het lukte niet. De ijskoude vingers van Kraak waren te sterk.

'Ik weet je te vinden,' beet hij haar toe. 'Mijn dochter wordt een kampioene. Ja, mijn dochter wordt een echte ster. En donder nu maar op!'

Winke wankelde de stal uit. Eenmaal buiten zette ze het op een lopen en rende ze zoals ze nog nooit gerend had. Half huilend klampte ze zich bij het hek aan haar moeder vast. Bevend en trillend deed Winke haar verhaal.

'Waar zijn die pensionstallen?' vroeg haar moeder.

'Daar, mam. Voorbij de wasplaats!'

Even later stonden ze in de pensionstallen. Daar waren alleen de paarden en de vliegen.

'Hier is het gebeurd, mam!' zei Winke snikkend. 'Die paarden zijn van Kraak. Hij had een zweepje bij zich. Hij...'

'Ja, ja, rustig maar,' zei haar moeder. 'Waar is dat meisje met wie je over deze paarden praatte?'

Het meisje was snel gevonden. Ze stond nog altijd bij de pony's zadels te poetsen. Van wie de twee dressuurpaarden waren? Die waren eigendom van de beste dressuurruiter van de streek, Govert Couperus. Dat wist iedereen. Jürgen Kraak? Nee, daar had ze nog nooit van gehoord, terwijl ze toch al jaren op deze manege werkte.

'Dat kan niet,' zei Winke wanhopig. 'Ze zijn van hem. Net als de boxen. Hij zei het zelf.'

'Dat moet een vergissing zijn,' zei het meisje, 'want die boxen zijn helemaal niet te koop. Die zijn van de manege.'

'Kraak droeg rode handschoenen en hij heeft een knap gezicht,' ratelde Winke. 'Een soort elfengezicht. Hij heeft werkelijk ijskoude vingers en blauwe ogen, maar die werden ineens zwart. Ik...'

'Hou op, Winke!' Haar moeder spuugde de woorden bijna uit. Woedend was ze. 'We zijn dus op zoek naar een elf met ogen als toverballen! Hou op met die onzin!'

'Hij rijdt in een zwarte sportauto,' hield Winke vol. 'Echt waar! Kom, we gaan snel naar de parkeerplaats. Misschien staat zijn auto daar nog!'

'Hou op, hou op!' riep haar moeder, terwijl ze haar armen wanhopig in de lucht wierp. 'Hou toch eens op met die léúgens!'

Ze wendde zich tot het meisje. 'Bedankt voor je tijd, hoor. Wij redden het wel. Mijn dochter heeft nogal last van zeer ongewenste... eh... fantasieën.'

Een halfuur later reden ze met zijn vieren terug naar Boxtel. Tijdens de hele rit spraken ze geen woord meer.

Haringtruc

Winkes bal sneed door het gras en plofte tegen de plank. Zowel keepster Barbara als de snel uitlopende verdedigers waren kansloos. Marjolein had de bal vanaf de achterlijn aangegeven, Birthe was de stopper geweest en Winke had verwoestend uitgehaald.

'Hatseflats, Winke!' riep Ruben. 'Niet van dat benauwde!'

Die regenachtige donderdagmiddag oefenden de meisjes strafcorners. Winke was door de coach tot schutter benoemd. Vroeger speelde ze geen rol bij deze corners, maar nu vloog de bal met wel tachtig kilometer per uur van haar stick af. Op deze dag was de waterstaart hoger dan ooit. Winke genoot van die staart, maar ze werd er niet meer zo door afgeleid. Nee, ze bleef schérp, zoals dat bij trainers heet.

'Let op!' riep ze nu ook vaak tegen medespeelsters.

Tijdens het partijtje aan het slot van de training voelde Winke zich, in tegenstelling tot de wedstrijd van afgelopen zaterdag, niet meer gestuurd door haar stick. Ze wist precies hoe ze vrij moest lopen. Wist ze dat nu uit zichzelf of had ze dat van de stick geleerd? Ze wist het niet. Wel wist ze dat zij zélf de controle had.

Ik ben de baas, dacht Winke. Ik bepaal waar ik loop!

En dat was ook zo. Winke liep uit de dekking en gaf met haar stick aan waar ze de bal wilde hebben. Sterre schoof haar de bal toe. Winke dribbelde de bal naar het doel, remde even af en gooide er een plotselinge versnelling uit, waarmee ze Lisa afschudde. Toen maakte ze een schijnbeweging met haar stick, waar Noa grandioos in trapte. De volgende tegenstander was Nicole. Die had, zag Winke in een oogwenk, geen rugdekking en werd slachtoffer van de haringtruc. Voor Nicole er erg in had, was de bal langs haar benen gespeeld en stond Winke ineens vrij voor de keepster.

KLENG!

Ze pushte de bal in de kruising.

'Shit!' riep Barbara van achter haar masker. 'Ik heb zin om die stick van jou dwars doormidden te breken, Winke!'

Winke lachte.

'Het is gewoon een kwestie van oefenen, Bar.'

'Maak dat de kat wijs,' bromde Barbara. 'Nou goed, als je zaterdag maar scoort. Dan vind ik alles best. Toverstick of niet.'

Bij de training stonden onder een grote paraplu twee bestuursleden van de vereniging toe te kijken. Dat was nogal ongebruikelijk. Meestal stonden ze alleen langs de kant bij wedstrijden van het eerste herenelftal.

'Poeh,' zei de ene. 'Ruben heeft niks te veel gezegd, Floris. Dat meisje barst van het talent. We hebben hier de nieuwe Fatima rondlopen!'

‘Zag je die polsslag?’ zei de ander. ‘Het lijkt me de kortste polsslag van Noord-Brabant, een beweging vol venijn, zoals vroeger de polsslag van Stella Artis. Volgens mij, Jochem, hebben we de nieuwe Stella in huis!’

‘Alleen die stick, Floris. Dat is toch géén gezicht!’

‘Ja, dat ben ik met je eens, maar het schijnt dat die eigenaardige stick haar juist stimuleert. Hij laat haar beter spelen. Dat...’

‘Joh, zie ik het nou goed? Het lijkt verdorie wel of er een blaadje aan die stick groeit! Kijk dan! Een eikenblad!’

‘Je hebt gelijk! Het moet toch niet gekker worden. Nou ja, het levert wel publiciteit op. Aanstaande zaterdag komt er zelfs een televisieploeg van Omroep Brabant naar ons toe. Voor de méísjes van de D1. Dat is toch ongelofelijk!'

Net als vóór de training keek ook iedereen na de training vol verwondering naar het blaadje dat aan de stick groeide. Een enkeling wilde eraan voelen.

'Doe niet!' riep Winke. 'Of je zult het bezuren!'

'Ach, schei toch uit,' mopperde Angela geschrokken. 'Stel je niet zo aan. Wat kan er nou gebeuren?'

'Van alles,' zei Winke met strak opeengeklemde lippen. 'Geloof me, er kan van alles gebeuren!'

Ruben suste de boel. Daarna vertelde hij de meisjes nog een leuk nieuwtje.

'We spelen zaterdag op het hoofdveld, meiden. Voor het eerst in de geschiedenis!'

Alle speelsters reageerden uitgelaten, ook Winke.

Mooi zo, dacht ze. Dan hoef ik niet op die rotplek op veld twee te lopen. Dan hoef ik niet aan die rottige Kraak te denken.

De afgelopen nacht had Winke door de dreigementen van Kraak minder goed geslapen. Toch was ze niet bang. Stel, Kraak pikte de toverstick en gaf hem aan zijn dochter. Dan zou Winke meteen tegen de kranten zeggen dat de stick níét was verkocht, want dat zou Kraak natuurlijk beweren. Nee, die stick was gestólen en moest terug naar de rechtmatige eigenaar, naar Winke Penninx!

Andere meisjes verdrongen zich rond de stick.

'Toch nog eikeltjeskoffie!' riep Lisa.

'Geef je de stick soms water?' vroeg Birthe. 'Straks groeien er nog bloemetjes uit!'

'Laat míj hem nou eens vasthouden!' zei Marjolein. 'Waarom wil je dat nou niet?'

'Ja,' zei Barbara. 'Doe nou eens niet zo geheimzinnig over dat ding!'

Winke schudde haar hoofd. Ze vertrouwde de stick aan niemand toe en verliet snel het clubhuis. Zelfs voor nieuwsgierige clubbestuurders had ze geen tijd. Vroeger bleef Winke na de training graag nog wat na kletsen met Sterre en de andere meiden, maar nu niet meer. Ze wilde de toverstick snel veilig op haar kamer krijgen, voordat Kraak in de buurt kwam. Maar ook wilde ze niet dat anderen de rare streken van de stick zouden zien, streken die níémand kon verklaren.

Of wel?

Na het bezoek van mevrouw Holda was Winke op eigen houtje een onderzoek begonnen naar haar beweringen. Op de computer op school had ze de woorden 'heilige boom' en 'Den Hout' ingetikt in Google. En wat bleek? Die boom bestond echt! De boom was inderdaad rond 1250 geplant en stond bekend als een boom met oerenergie. In 2008 kwamen er volgens de website nog altijd mensen naar deze heilige boom om spiritueel bij te tanken. Dat hield in dat ze kracht en troost van de boom kregen door ertegen te praten of hem aan te raken of te omhelzen. Ook klopte het dat de boom ooit door de bliksem was getroffen. Het binnenste van de eik was weggebrand. In de holte had jarenlang een kluizenaar geleefd die spek in de top van de boom rookte.

'Nu woont zíj daar!' had Winke zachtjes voor zich uit gemompeld, terwijl ze naar een afbeelding van de eik keek. 'Heks Holda leeft in een holle boom!'

Winke deed nog een andere ontdekking. Zo'n twintig kilometer onder Boxtel, in Oirschot, had een andere heilige eik gestaan. In 1648 was de boom op bevel van de kerk omgehakt, zoals overal in het land honderden van zulke bomen waren gekapt. De verering van deze bomen was volgens de kerk namelijk 'een stokoud, heidens bijgeloof'. Zulk geloof moest met wortel en tak worden uitgeroeid. De heilige eik in Den Hout was de dans ontsprongen.

'Net als onze eik,' mompelde Winke. 'Het is niet te geloven!'

Bij heilige bomen hoorden ook priesteressen. Zij spraken een taal die in de oren van gewone mensen op het koeren van duiven leek. Was de vrouw in de paarse jurk met haar rare gemompel zo'n priesteres?

Het zou goed kunnen, dacht Winke. Allemachtig, heb ik dan gesproken met een boompriesteres?

In de tuin had Winke weer blindevrouwtje gespeeld met de eik. Het ging precies zoals de vrouw had voorspeld. Ze botste als het ware tegen de geheimzinnige kracht van het hout, waardoor ze de afstand tot de boom steeds verkeerd inschatte. Nu dacht Winke heel anders over mevrouw Holda. Winke had zelfs het konijnenhok verschoven, zodat Dibbes geen kou zou vatten.

Zaterdag zou een belangrijke dag worden voor Winke. Dat wist zij zelf als de beste. Er zou zelfs televisie komen, had ze in het clubhuis gehoord. Die tv-camera's kwamen speciaal voor haar! Vrijdag liet Winke de stick met de 'magische eigenschappen' daarom zoveel mogelijk met rust. Ze raakte hem niet aan. Ze praatte er ook niet tegen. Het ding lag doodstil op de vloer onder de wasbak. Wel dacht Winke veel na over de stick. Welke magie zat erin? Was het zwarte of witte magie, oftewel een kwade of een goede kracht? Ja, wat wilde de stick? Wilde hij van Winke een internationale kampioene maken? Of wilde hij haar voor schut zetten? Haar vreselijk laten falen? Haar misschien wel slaan zoals hij eerder gedaan had? En waarom had hij Winkes naam uitgewist? Zoiets was toch een uiterst vijandige daad. Hoe kan een stuk hout magisch worden? Er moest dan toch iets bijzonders gebeurd zijn. Maar wát dan?

Vrijdagmiddag oefende Winke in de tuin met haar ministick en trainingsbal. Haar ouders waren het inmiddels gewend.

'Goh, wat is ze fanatiek bezig met die sport,' zei haar vader. 'Wie had dat ooit van onze droomster kunnen denken?'

'Ik niet,' antwoordde Winkes moeder. 'De wonderen zijn de wereld nog niet uit. Haar techniek is echt beter geworden.'

'Je weet toch waarom ze die ministick gebruikt?'

'Ja, de toverstick heeft rust nodig, zegt ze.'

'Typisch Winke,' zei Winkes vader. 'Ik wou dat ze niet die gekke stick, maar mij een beetje rust gaf.'

Lucas Penninx grinnikte, maar zijn vrouw trok een zorgelijk gezicht. Ze dacht aan het incident bij de manege. Haar man had het allemaal weggelachen, maar zij niet. Was het wel fantasie van Winke geweest? Zag dat kind soms andere dingen dan zíj zagen? Was er soms iets niet in orde met haar? Twee jaar geleden had ze een hockeybal tegen haar hoofd gekregen. De huisarts had toen een lichte hersenschudding geconstateerd en wel vijf centimeter draad gebruikt om de wond te hechten. Had Winke daar toch iets aan overgehouden? Waren die hersens nog steeds door elkaar geschud? Had ze een afwijking? Haar moeder dacht aan het gat in de hemel waar topwater uit stroomde, de onzichtbare Rick, Sinterklaas op een ezel, de ontheiliging van de cornervlag, een heilige eik, de tackle met een paraplu, een konijn van adel met poetsschoenen, ogen als toverballen, en als klap op de vuurpijl deze toverstick.

'Maar dat eikenblaadje aan de steel is toch bijzonder, Lucas. Het hout leeft dus nog!'

'Ja, schat,' zei Winkes vader. 'Er zal nog wel wat vocht in zitten. Zo raar is dat ook weer niet, hoor.'

's Avonds ging Winke na het jeugdjournaal meteen naar bed, want ze wilde fit zijn voor de wedstrijd. Voordat ze haar ogen sloot, keek ze vanaf haar kussen minutenlang naar de toverstick.

De stick lag doodstil op de grond.

Meisje met drie armen

HUP WINKE! stond er op het spandoek dat Xandra en Emma boven hun hoofd hielden. Haar zusjes riepen dat ook steeds. Het spandoek had effect. Het duel tegen Eindhoven was nog geen twee minuten oud, toen een tegenstandster de dribbelende Winke in de cirkel tegen de grond werkte. Ze viel op het gras met haar rug naar het doel, maar toch wist ze de bal met een beweging van haar rechterpols áchterwaarts langs de keepster te slaan: 1-0!

'Goeie genade,' mompelde Ruben. 'Wat een wereldgoal!'

Hij was zo verbijsterd dat hij vergat te hatseflatsen. Winke krabbelde overeind en wierp zich in de armen van Tessa en Birthe.

'Zwaai naar de camera, Winke!' zei Birthe. 'Zwaai dan!'

Winke zwaaide triomfantelijk met haar stick. Haar ouders glommen van trots.

'Ja, ja,' zeiden ze tegen iedereen die het maar wilde horen. 'Dat is onze dochter!'

Onmiddellijk kwamen er drie journalisten naast hen staan. Ze wilden alles weten over deze 'balgoochelaar', zoals ze Winke noemden.

Nooit eerder was er bij een wedstrijd van meisjes D1 zo

veel publiek geweest. Meestal stonden er drie moeders en één vader te kijken, meer niet. Nu stonden er zeker honderd nieuwsgierigen en die waren allemaal getuige van Winkes slag met het puntje. Net buiten de cirkel gaf ze de bal een tikje op z'n kop, waardoor hij een eindje omhoogvloog. Voordat de bal de grond raakte, knalde ze de bal hoog in de touwen: 2-0.

'Hatseflats, Winke. Niet van dat benauwde!' gilde Ruben.

Winke voelde zich fantastisch. Ze was helemaal niet nerveus door de tv-camera's en al die starende mensen. Integendeel: ze voelde zich het middelpunt van de wereld en daar genoot ze van. De stick trilde niet. Hij werd niet loodzwaar. Nee, hij was zo mak als een lammetje en zoemde na de slag met het puntje wederom van plezier.

Ik heb hem getemd, dacht Winke. Hij is zo tam als Dibbes.

Vlak na de rust ramde Winke nog een strafcorner tegen de plank. Dat betekende 3-0. Birthe maakte 4-0 via een tipin. Marjolein schoof met een uitgekiende klap de 5-0 binnen. Toen volgde er weer zo'n bijzonder doelpunt van Winke. In de cirkel vloog de bal als een roofvogel naar haar toe. Ze greep razendsnel haar stick met beide handen in het midden beet, bij de schors. Werkelijk iedereen dacht dat Winke de bal zou stoppen, maar ineens sloeg ze de aanvliegende bal toch op doel! Dit verrassende *slap shot* was onhoudbaar en betekende de 6-0.

'Waar is mijn engeltje op de lat gebleven,' jammerde de keepster. 'Het lijkt wel of er nu een duivel zit!'

‘Slimme meid,’ mompelde Lex Lammers. ‘Heel slimme meid.’

De journalist van het *Eindhovens Dagblad* noteerde in zijn notitieblokje: ‘De inmiddels fameuze stick van de tienjarige Winke Penninx is een soort derde arm. Zoiets biedt grote voordelen, zoals we zagen bij haar eerste en zesde goal.’

Na afloop van het duel werd Winke omringd door verslaggevers. Haar ouders keken van een afstandje toe.

'Mogen we je stick eens wat beter bekijken, Winke?' vroeg Lammers.

'Ga uw gang,' zei Winke.

De verslaggever liet zijn blik over de stick dwalen.

'Dat blaadje is dus een eikenblaadje.'

'Absoluut,' zei Winke.

'Je laat dat blaadje zitten?'

'Zeker weten. Ik wacht wel tot het herfst wordt.'

Iedereen lachte.

'Speelde je met je oude stick net zo goed, Winke?'

Winke schudde haar hoofd. 'Nee.'

'Nu speel je de sterren van de hemel. Hoe komt dat dan?'

'Dat weet ik niet.'

'Brengt de stick je geluk? Is het een soort mascotte?'

'Ja, zoiets kán het zijn.'

'Er is een beroemd boek dat *Mysterieuze krachten in de sport* heet. Matige voetballers gaan bijvoorbeeld ineens veel goals maken omdat ze verliefd zijn. Of een slechte wielrenner wint een wedstrijd omdat zijn dochtertje die dag jarig is. Is het zoiets?'

'Ik ben alleen maar balverliefd,' zei Winke giebelend.

'Goed, ik wil die stick wel eens even vasthouden,' zei een andere reporter. 'Mag dat?'

Winke verschoot van kleur. 'Eh… Nou… Liever niet. Ik hou hem liever bij me.'

Daar keken de journalisten vreemd van op.

'Oké,' zei er eentje sussend. 'Geen paniek. Het hoeft niet.'

'Nee, zo is het,' zei weer een ander. 'Ik heb nog wel een vraag voor je, Winke. Je noemt je stick een toverstick. Is dat een grapje of geloof je echt dat er toverkracht in zit?'

'Ik weet het niet precies,' zei Winke.

Meteen schoten de pennen over het papier.

'Je twijfelt?'

'Eh... ja.'

'Ik hoorde van je ouders dat je veel fantasie hebt en dol bent op allerlei gekke verhalen over magie en toverkunst.'

'Klopt,' zei Winke. 'Ik ben gek op Harry Potter en bijvoorbeeld de boeken van Roald Dahl. Vooral *De heksen*.'

'Geloof je in heksen?' vroeg er eentje.

'Echte heksen bestaan,' zei Winke. 'Ze zien eruit als gewone vrouwen.'

Winke wees op een vrouwelijke verslaggever. 'U zou er eentje kunnen zijn!'

Er werd weer luid gelachen. Toen moest Winke nog even poseren voor de fotografen. Een van hen vroeg haar de stick een kusje te geven. Winke tuitte haar lippen en zoende de bolle kant van de krul. Vrijwel onmiddellijk voelde ze aan haar vingers dat de stick warmer werd. Ook begon het hout te zoemen, of nee, te brommen. Het deed Winke denken aan het geluid van een bromtol.

'Dank u voor de aandacht,' riep ze nerveus tegen de fotografen. 'Ik moet nu snel weg, hoor.'

Maar nee, dat ging zomaar niet. Nu was de televisieploeg van Omroep Brabant aan de beurt. Gelukkig stierf het bromgeluid snel weg en leek de temperatuur van de stick terug te lopen. Winke raakte weer op haar gemak. De slotvraag van de tv-reporter luidde: 'Ik hoorde van je trainer dat de koploper, MOP uit Vught, verloren heeft. Als jullie volgende week van hen winnen, kan Boxtel kampioen worden. Wat denk je? Lukt dat?'

Dit was goed nieuws! Winkes ogen begonnen te stralen. 'Zij worden in ieder geval géén kampioen,' zei ze voor de draaiende camera. 'Daar ga ik een stokje voor steken. Dít stokje!'

Vol bravoure zwaaide Winke met haar toverstick.

De aanslag

Die maandagnacht om halfvier precies klom een schimmige figuur als een aap langs de regenpijp omhoog. Hij was onderweg naar het bovenste raam van een huis, dat de kleur had van een banaan. Om zijn schouders hing een sticktas. Het bovenste raam stond op een kier en de inbreker duwde het verder open, zodat hij er nét doorheen kon glippen. Op een bed zag hij een meisje in diepe slaap.

'Onnozel grietje,' mompelde hij.

Op zijn tenen sloop hij langs het bed. Midden in de slaapkamer bleef hij doodstil staan en loerde in het rond. Daar was hij! Onder de wasbak lag zijn buit. Hij deed vier passen in de richting van de hockeystick. Zijn schoenen kraakten, maar het meisje werd niet wakker. Niemand in het huis werd wakker. Voorzichtig, vrijwel onhoorbaar, schoof hij de toverstick in de sticktas. Heel stilletjes draaide de inbreker zich om en schuifelde terug naar het geopende raam. Nu kwam het moeilijkste! Een beetje zenuwachtig plukte hij aan zijn masker, dat slechts zijn ogen en neusgaten vrij liet. Met zijn linkerhand pakte hij de regenpijp beet. Zijn rechterbeen zwaaide even in de lucht en kwam daarna tegen de muur rechts van de regenpijp terecht. Toen kromde zijn andere hand zich krampachtig rond de pijp.

Prima regenpijp, dacht de inbreker. Echt ouderwets vakwerk. Ik kom wel weer heelhuids naar beneden.

Ineens maakte het meisje in bed een geluidje.

'Hij is van mij!' zei ze vervolgens duidelijk verstaanbaar.

De figuur verstijfde in de raamopening.

'Hij is niet van jou, Sterre. Stop met zeuren! Hij is van mij. Voor altijd!'

Winke draaide zich om in haar slaap. Doodse stilte in de kamer. Ze werd niet wakker. Niemand werd wakker. De inbreker klom met moeite naar beneden. Hij was niet lenig en duidelijk niet gewend om dit soort dingen te doen. Op de veilige grond aangekomen haalde hij opgelucht adem. Dit was fase één van zijn plan. Met grote stappen liep hij in de richting van de kerk, waar hij zijn auto had geparkeerd. Nu zou hij zo snel mogelijk naar huis rijden en de stick in stukken hakken. De bijl lag al klaar. De inbreker was nog geen honderd meter van het huis van de familie Penninx of hij hoorde vlak bij zijn oor een doordringend geluid, een hoge fluittoon, zo leek het.

'Shit!' mompelde de man. 'Wat is dat?'

Waar kwam die herrie vandaan? Het leek wel uit de sticktas te komen. Verdorie, het geluid werd steeds harder. Grimmiger ook. Dreigender. Het geluid werd nóg harder! In enkele huizen gingen de lichten aan. Vanaf een balkon werd iets geroepen. De inbreker begon in paniek te raken. Dat geluid kwam uit die stick. Nee, hij was niet gek. Het kwam echt uit die stick! Snel deed hij de sticktas af en haalde het ding tevoorschijn. Het gekrijs leek uit het plekje tussen de stukken schors te komen.

'Dan maak ik er hier maar een eind aan,' zei de man hardop in zichzelf.

Hij zweette hevig onder zijn masker, zweet van spanning en angst. Hij legde de stick met de krul op de stoeprand. Toen nam hij een aanloop, maakte een sprong en liet zijn beide voeten met kracht op de hals terechtkomen...

Winke schrok wakker van een angstaanjagende kreet. Ze sprong haastig uit bed. Haar allereerste gedachte was de toverstick. Winke zocht tevergeefs onder de wasbak. Ze wreef in haar slaperige ogen, maar dat hielp niet. De stick was echt weg! Toen pas zag ze dat het raam bijna helemaal openstond. Even voelde het alsof er een ijskoude hand in haar nek werd gelegd. Was er soms iemand in haar kamer geweest? Was er ingebroken? Was haar stick gestólen? Ze rende naar de slaapkamer van haar ouders.

'Papa!' gilde ze. 'De stick is gestolen. Hij is weg!'

'Wat zeg je nou?' bromde haar vader. 'We hoorden wel een gil.'

'Er is een dief in mijn kamer geweest, mam. Het raam staat open en de stick is weg.'

'Je raam open? Heb je het niet gedroomd?' vroeg haar moeder.

'Nee!' krijste Winke. 'Ik héb het niet gedroomd!'

Haar vader schoot in zijn kamerjas en pantoffels en vloog de trap af. Winke rende hem achterna. Bij de kapstok trok ze snel haar jas aan over haar pyjama. In de haast trok ze de laarzen van Xandra aan. Halverwege de straat groepten wat mensen bij elkaar. Allemaal droegen ze een ochtendjas en ze gebaarden druk met hun handen.

'Ah, daar ben je!' zei een vrouw tegen Winke. 'Lieve kind, je stick lag hier als oud vuil in de goot. Ik heb met eigen ogen gezien dat een kerel hem kapot probeerde te trappen, maar dat is hem niet gelukt.'

Ze schoot in de lach. 'Hij heeft minstens zijn voet verstuikt. Die gil van hem moeten ze tot in Den Bosch hebben gehoord!'

'Maar waar is mijn stick?'

'O, die heeft Jasper.'

Een man met een woeste baard had zich erover ontfermd. Hij drukte Winke de stick in handen.

'Kijk eens meid, hier heb jij je stick terug. Hij is helaas niet ongeschonden uit de strijd gekomen. Vlak bij de krul zit een heel klein scheurtje, nog geen haar breed. Daar lopen wat druppeltjes hars uit.'

Inderdaad liep er een kleverig straaltje uit het barstje.

'Heeft iemand de dief gezien?' vroeg Winkes vader. 'Of beter, heeft iemand hem herkend?'

De vrouw schudde haar hoofd. 'Nee, hij had een masker op, maar zij van het hoekhuis, Margo Klok, heeft wel een auto zien wegrijden.'

'Wát voor auto?' kwam Winke er ineens tussendoor.

'Een sportauto,' was het antwoord. 'Een blauwe of een groene. Dat wist mevrouw Klok niet zeker. Ze dacht blauw.'

Winke was zo bleek geworden als het licht van de straatlantaarns.

'Het was een zwárte sportauto, papa!' zei ze. 'Een inktzwarte. Ik weet het zeker!'

Wat later zat Winke met haar vader en moeder aan de eettafel. Nogmaals verzekerde ze hun dat Jürgen Kraak de inbreker was geweest. Die was op haar stick uit. En hij had een zwarte sportauto.

'Maar waarom zou hij die stick willen stelen en hem vervolgens kapot willen maken?' vroeg Winkes moeder.

'Om zijn dochter kampioen te laten worden, mam. Dáárom! Ik dacht dat hij hem alleen maar wilde stelen, maar hij wil hem dus zelfs kapotmaken! Die man is tot alles in staat! Hij heeft een hart van steen. Of nee, van ijs!'

Haar ouders zwegen.

'Hij heeft ijskoude vingers en rare ogen. Hij...'

'Niet zo schreeuwen, Winke!' zei haar vader. 'Emma en Xandra slapen, althans, dat proberen ze.'

Er viel een stilte.

'Goed,' besloot haar vader. 'Ik ga de politie bellen om aangifte te doen.'

Hij keek Winke aan. 'Jij gaat nu naar bed.'

'Waarom? Ik kan toch niet slapen. Ik wil erbij zijn!'

'Niks ervan!' zei haar moeder. 'Morgen is het weer vroeg dag. Doe je raam maar potdicht, Winke.'

'Maar het gaat om míjn stick!'

'Niks mee te maken!' zei haar vader. 'Je gaat naar bed!'

Winke staarde naar het parket. Het hout was niet echt glanzend. Het werk van Dibbes was alweer tenietgedaan.

'Als je bang bent om alleen op je kamer te zijn, kun je natuurlijk ook bij ons slapen,' zei haar vader.

Winke schudde haar hoofd. Ze was niet bang.

'Zal ik je lekker instoppen?' vroeg haar moeder.

Winkes blonde haar schudde nogmaals heen en weer. 'Nee, dat hoeft niet. Tot morgen.'

'Slaap lekker, schat,' zeiden haar ouders in koor.

Winke verliet de woonkamer, maar ging niet naar boven. Ze bleef staan luisteren bij de deur en hoorde hoe haar vader met haar moeder sprak.

'Goed,' zei haar vader, 'als ik straks de politie aan de lijn heb, ga ik niet de naam van die Kraak noemen. Er rijden zo veel mensen in sportauto's rond. Er is geen spoortje bewijs tegen die man. Ik heb geen zin om iemand zomaar te beschuldigen.'

'Je hebt gelijk, Lucas. Daar moet je voorzichtig mee zijn, maar waarom...'

Winke luisterde niet verder. Ze sloop de trap op, diep ontgoocheld over het ongeloof van haar ouders. Op haar kamer staarde ze naar de gestolde druppeltjes op haar stick. Net toen ze hem op zijn vertrouwde plek wilde leggen, lekten er nieuwe druppeltjes sap uit het scheurtje.

'Heb je pijn, stickie?' vroeg Winke zachtjes. 'Moet je huilen? Wil je bij me in bed? Ja, dat is een goed idee. Daar ben je veilig!'

In haar bed wiegde ze de stick in haar armen als een kindje dat de slaap niet kan vatten. Algauw viel Winke in slaap. De volgende ochtend werd ze wakker met de stick in haar armen. Af en toe liep er nog een druppeltje langs de bolle kant van de krul. Winke veegde ze met de top van haar rechterwijsvinger weg.

'Laat mij maar voor je zorgen, stickie.'

Ze rook aan het vocht. De geur kwam haar bekend voor. Toen stak ze haar wijsvinger in haar mond en proefde. Het was bloed.

Maria

Lucas Penninx was al naar zijn werk. Onderweg naar kantoor zou hij Xandra bij school afzetten. Winkes moeder hielp net Emma met haar jas en schoenen, toen Winke de huiskamer binnenstormde.

'De stick bloedt, mam! De stick bloedt!'

'Nu even niet, Winke. Ik ben bezig.'

'Maar...'

Haar moeder richtte zich in haar volle lengte op.

'Ik ben het gezeur over die stick spuugzat, Winke. Je kunt een aardig balletje slaan met dat ding, maar er zijn grenzen aan mijn geduld.'

'Maar... de stick...'

'Hou op! Ga je als de bliksem aankleden. Ik breng Emma zo naar school. Het ontbijt staat klaar. Opschieten!'

Emma's schoenen zaten dicht. 'Ik ben al klaar, mam.'

'Goed zo. Nou, wij zijn weg.'

'Maar...'

'Ik zie jou tussen de middag weer. Dan vertel ik je wel over de politie en zo. Denk erom, niet treuzelen. Meteen naar school gaan. En sluit goed af!'

De deur sloeg dicht. Wat nu? Een bomendokter bellen?

Ineens schoot Winke iets te binnen. Oma Penninx had ooit verteld over een huilend Mariabeeldje, een beeldje van hout. Misschien kon ze oma om raad vragen. Terwijl ze een boterham met chocopasta naar binnen werkte, zocht ze oma's nummer in haar mobiel. Ze toetste de juiste knoppen in.

'Met mevrouw Penninx.'

'Hoi oma, met Winke.'

'Kind, wat bel jij vroeg. Er is toch niks ernstigs gebeurd?'

'Nee, nou ja... eh... Ik wilde wat vragen.'

'Zeg het maar, hoor.'

'Je hebt me wel eens verteld over een beeldje van Maria dat huilde. Hoe zat dat precies?'

'Ach ja, dat was een eikenhouten Madonnabeeldje uit 1340, diep in de grond gevonden bij de Amsterdamse Zuiderkerk. Ik ben naar dat opgegraven beeldje gaan kijken. Op een gegeven moment liepen bij Maria de tranen over de wangen. Heel ontroerend.'

'Was dat bloed?'

'Nee, dat was water, maar als een Mariabeeldje bloed huilt, is er sprake van een nóg groter wonder. Zo heb je de bloed wenende Maria van Siracusa op Sicilië. Dat is door de kerk officieel erkend als Wonder met een hoofdletter.'

'Aha,' zei Winke.

'Maar waarom vraag je daarnaar, om acht uur 's ochtends?'

'Nou,' zei Winke. 'Mijn eikenhouten hockeystick huilt ook.'

Aan de andere kant van de lijn bleef het stil.

'Hij huilt bloed. Ik heb het zelf geproefd.'

'Daar maak je geen grappen over, Winke. Ik vind dit niet lief van je. Je oude oma voor de gek houden. Bah!'

'Maar ik maak geen grap, oma. Het is echt waar. Ik...'

Tuut... tuut...

Oma Penninx had opgehangen. Winke staarde verbluft naar haar mobieltje. Peinzend dronk ze haar glas melk leeg.

'Een Wonder met een hoofdletter,' mompelde ze.

Goed, ze moest naar school. Ze rende de trap op om haar rugzakje te pakken en om nog eens te kijken hoe het met de stick was. Dat was niet best. Uit de wond bléven druppeltjes opwellen.

'Er moet een pleister op,' besliste Winke hardop.

Ze snelde naar de keuken, waar de pleisters lagen. Voorzichtig bracht ze wat later de pleister op de wond aan.

'Zo!' zei ze met een glimlach.

Ineens begon de stick te kreunen, zoals bomen kunnen kreunen in griezelige sprookjes. Nee, Winke kon de stick niet alleen achterlaten, maar hij kon in deze toestand ook niet mee naar school. Ineens maakte de stick een rochelend geluid. Direct nam Winke het hout in haar armen.

'Niet doodgaan, stickie. Niet doodgaan! Wat is er met je? Wat moet ik doen? Wat wil je horen? Wil je een aspirientje? Wat...'

Winke zag dat het blaadje slap ging hangen. Het frisse groen werd grauwer en grauwer en grauwer.

'Ach, mevrouw Holda!' verzuchtte Winke toen. 'Ik moet

naar mevrouw Holda. Ik moet naar de heilige eik in Den Hout!'

Zonder zich een seconde te bedenken vleide Winke de stick voorzichtig in haar sticktas, zoals een zwaargewonde in een ambulance wordt geschoven.

O, had ik nou mevrouw Holda's telefoonnummer maar! dacht ze. Had ik daar maar naar gevraagd!

In de keukenla vond Winke een strippenkaart. Uit haar spaarpot haalde ze vijftien euro. Daarmee moest ze toch naar Den Hout kunnen komen. Ze pakte de atlas uit haar kast. Den Hout bleek vlak bij Breda te liggen. Ze moest dus de trein van Boxtel naar Breda nemen. Daarna zou ze de bus pakken. In tien minuten was ze van haar huis naar het station gerend. Op het station kocht ze een retourtje Boxtel-Breda. Een halfuur later kwam Winke in Breda aan en daar belde ze haar moeder. Ze kreeg de voicemail.

'Mama, ik ben niet naar school,' sprak Winke in. 'Ik ben onderweg naar de heilige eik in Den Hout. Mijn stick is ernstig ziek. Die vrouw over wie ik jullie verteld heb, kan hem misschien genezen. Wees niet ongerust. Tot straks! O ja, kun je de meester even bellen dat ik vandaag later naar school kom?'

In de trein leek de stick tot rust te komen, alsof hij voelde dat er hulp op komst was. Tijdens de busreis ging het minder goed met de patiënt. Het bloed sijpelde onder de pleister vandaan. Waar kwam dat allemaal vandaan? Winke had geen idee. Ze hield het maar op een wonder.

Waren ze er nou nóg niet? Kon de chauffeur niet meer

haast maken? Dit ging om leven en dood! Plots zag Winke in een zijstraat een inktzwarte sportauto geparkeerd staan.

'O nee,' mompelde ze. 'O nee!'

Haar vingers begonnen te trillen. Op de plekken waar Kraak haar had aangeraakt werd het ineens ijskoud, alsof ze daar zojuist door een sneeuwbal was getroffen. Wist Kraak van de heilige eik? Wist Kraak van de boompriesteres? Of was die auto van iemand anders? Vlak bij de Achterstraat in Den Hout was eindelijk een bushalte. De buschauffeur wees Winke hoe ze naar de grote eik moest lopen.

'Het is een ongelofelijk hoge boom,' zei hij. 'Je ziet hem al van verre. Tegenwoordig woont er een chique dame in. Grappig is dat.'

'Dat ís niet grappig,' zei Winke fel.

'Ook goed,' zei de chauffeur en hij reed weg.

Op straat keek Winke gespannen om zich heen. Er was geen zwarte auto te zien. Na een wandeling van vijf minuten stond Winke voor de heilige eik van Den Hout. De boom was door de bliksem uitgehold en aan één kant open. Hij had een forse kruin met een dicht bladerdak. Naast de boom stond de vrouw. Ze droeg een rode feestjurk en oogschaduw in de kleur van een goudvis.

'Kom snel binnen, kind,' zei ze. 'Ik wist dat je zou komen.'

In de holle boom was plaats voor twee mensen. Er stonden twee krukjes en een gammel tafeltje met een vaas tulpen erop. In een donker hoekje lag een matras. Winke wilde de

vrouw over de gewonde stick vertellen, maar dat leek ze allemaal al te weten.

'Geef me snel dat stuk hout, meisje. Ik zal de tak proberen te genezen.'

Winke legde de stick op het tafeltje.

'Heb jij die pleister erop geplakt?'

Winke knikte.

'Goed zo, meisje. Dat heeft geholpen.'

Voorzichtig verwijderde de priesteres de pleister. Daarna boog ze zich over het hout en begon allerlei spreuken te prevelen.

'Evonymus europaeus. Fagus sylvatica. Genista tinctoria. Genista pilosa. Myrica gale. Mespilus germanica. Hippophae rhamnoïdes.'

Toen verviel ze in een lang stilzwijgen. Winke durfde de stilte niet te verbreken, hoewel ze vol vragen zat.

'Juist,' zei de vrouw ineens. 'Nu nog wat boombalsem en dan gaat zij het redden.'

'Zíj?'

'Jazeker, deze tak is een zij.'

Winke keek toe terwijl mevrouw Holda een bruin goedje op het hout smeerde. Het rook naar viooltjes.

'Tja,' zei Winke. 'Voor mij is het geen tak, maar een hockeystick.'

'Dat begrijp ik, lieve kind. Deze tak is ook als stick bedóéld. Daarom is ze in die vorm gegroeid.'

Winke begreep er geen fluit van. 'O? Maar waar kwam dat bloed dan vandaan?'

'Dat zijn zaken die we niet begrijpen, meisje. In jouw

boeken zal wel geschreven worden dat zulk bloed afkomstig is van nimfen die onder de schors leven. Allemaal onzin! Kabouterpraat uit kinderboeken.'

Mevrouw Holda keek Winke doordringend aan. 'Dat is háár bloed. Ook bomen kunnen bloeden.'

'Net als Maria. Ik bedoel, sommige houten beeldjes van Maria.'

De vrouw knikte. 'Precies!'

Ineens keek de priesteres Winke ernstig aan. 'Nog altijd geen problemen, Winke? Heel diep in de tak zag ik letters staan, letters van een naam.'

Winke werd zo rood als een tomaat. 'Eh...' stamelde ze. 'Ik... ikke...'

'Die letters heeft ze uitgewist.'

Winke zweeg.

'Weet je wat de verdwijning van jouw naam betekent, meisje?'

Langzaam schudde Winke haar hoofd.

'De toverstick erkent jou niet als eigenares, Winke. Dát betekent het. Ze gaat steeds meer dwarsliggen en streken uithalen. Je verliest de controle, omdat zij naar degene verlangt voor wie ze bedoeld is. Begrijp je dat?'

Winke knikte. 'Maar voor wie is hij... eh... zij dan bedoeld?'

'Dat zal ik nu voor je gaan bekijken,' zei de vrouw. 'Als het goed is, kan ik dat in de nerven van het eikenblaadje lezen.'

Het blaadje stond weer groen en fier op de steel. De vrouw streelde de onderkant van het blad, die met heel fijne haartjes bedekt was. Ondertussen loerde ze als een havik naar de bovenkant, waar een wirwar van gele nerfjes door het groen liep. Ineens begon het gezicht van de vrouw te glimmen van genoegen.

'Ik krijg het voor elkaar,' mompelde ze. 'Daar gaan we. Hier heb ik een C. Hier heb ik een H. Hier heb ik een A. Hier heb ik een N. Hier heb ik een J. Of nee, sorry, een T. Hier heb ik nog een A. En tot slot heb ik hier een L. Aha, Chantal.'

De vrouw boorde haar blik nog dieper in het blaadje.

'Nu de achternaam. Mhh, dat is moeilijk te zien, maar het begint met een K. Dat is zeker. Jammer, daar blijft het bij. Een K.'

De vrouw verplaatste haar blik van het eikenblaadje naar Winke. Ze keek in een lijkbleek meisjesgezicht.

'Ken je een Chantal K.?'

Winkes gedachten flitsten terug naar de zo onterecht verloren thuiswedstrijd tegen Vught. Ze hoorde het de vader nog roepen: 'Voor elk doelpunt een dvd, Chantal!' Chantal de Hakker nota bene. Moest zij, Winke, haar toverstick afgeven aan die dombo? Nooit van zijn leven! Stel dat die hakker MOP kampioen maakt met de stick! Nooit van zijn leven! Wat zou Kraak in zijn vuistje lachen. De toverstick gratis en voor niks naar zijn dochter. Nooit van zijn leven! Nooit gaat die stick naar Chantal Kraak!

NOOIT!

NOOIT VAN ZIJN LEVEN!

'Gaat het een beetje, meisje?'

'Jazeker,' zei Winke trillend.

Ze keek de vrouw recht in de vlammende ogen. 'Nee,' zei Winke toen. 'Ik heb nog nooit van een Chantal K. gehoord.'

Wratje

Winke wilde er snel vandoor gaan, maar de vrouw begon over haar logeeradres te vertellen. Zo had ze in de boomholte geen verwarming nodig, omdat de eik zonnekracht in zijn hout bewaarde. En dat heilige eiken bliksem aantrekken had volgens haar te maken met oude dondergoden als Thor en Jupiter. Wist Winke waarom het in de eik zo heerlijk rook? Nee? Nou, dat kwam door de in het hout opgeslagen mineralen en zouten.

'Dat heb je toch ook wel geroken in jouw eik?' vroeg de vrouw.

Winke gaf een onwillig knikje. Ze wilde weg.

'Daarom doet men rode wijn in tonnen van eikenhout, meisje. Daar krijgt hij een extra lekkere geur en smaak van.'

Winke zweeg. Wat kon haar die wijn schelen.

'Ik zie een wratje op je linkerpink,' zei mevrouw Holda. 'Zal ik dat met hulp van de boom eens weghalen? In het hout zitten ook geneeskrachtige stoffen.'

Er ging een rilling over Winkes rug.

'Weet u,' zei Winke. 'Ik moet ervandoor. Ik moet naar school. Dank u voor het genezen van mijn... eh... de stick.'

Ze reikte gretig naar het gammele tafeltje. Daar lag de

stick, blozend van gezondheid. Háár stick, niet die van Chantal K.

'Niet zo'n haast, Winke,' zei de priesteres ineens krakend. 'Geef me je linkerhand!'

Haar stem had een dwingende klank. 'Kom op, Winke! Niet zo bang. Geef me je hand!'

Aarzelend legde Winke haar hand in de eeltige hand van mevrouw Holda. Ze kon de gezwollen aderen en diepe rimpels voelen. Deze handen hadden wel iets weg van boomschors.

'Goed zo. Let op!'

De vrouw had ineens een naald in haar andere hand. Ze prikte de naald in de bast van de eik en trok hem er meteen weer uit.

'Schrik niet. Het doet geen pijn,' zei de vrouw.

Vervolgens prikte ze de naald in Winkes wratje, waarna ze het scherpe stukje metaal terug in de boom duwde en op vrolijke toon rijmde: 'O lieve eik, maak van dit vieze wratje snel een lijk.'

Opgewekt en trots keek ze Winke aan.

'Een simpele spreuk voor een simpel probleem. Zo! Ook weer gebeurd.'

'Wanneer is het wratje weg?' vroeg Winke.

'Vandaag. Beslist vandaag,' zei mevrouw Holda tevreden.

Winke werd nieuwsgierig, maar liet zich niet door de vrouw afleiden. Ze legde haar rechterhand op de stick.

'Welke kwalen kan de boom nog meer genezen? Mijn vader klaagt vaak over haaruitval. Hij is bijna helemaal kaal.'

'Tja, elke boom heeft weer een andere oplossing voor

kwalen. Misschien moet hij eens aan een berkentak likken. Dat wil nog wel eens helpen tegen kaalheid. Of aan een takje van de hazelaar.'

'Moet er nog een spreuk bij?' vroeg Winke gretig.

'Altijd,' zei de priesteres. 'Bijvoorbeeld: "O berkentak, geef mijn vader weer haar op zijn dak."'

Winke schoot in de lach, maar ze verloor de stick geen moment uit het oog. Haar hand omklemde de oranje grip.

'Het werkt niet altijd, hoor. Net als de mens heeft elke boom een eigen persoonlijkheid en dus ook persoonlijke eigenschappen.'

'Elke boom heeft dus een bóómlijkheid.'

'Goed gezegd, meisje!'

Eigenlijk wilde Winke zo snel mogelijk weg, maar ze zat ook vol met vragen. Haar nieuwsgierigheid won het van haar angst.

'Komen hier nog mensen spiritueel bijtanken?'

Mevrouw Holda lachte.

'Het is geen benzine, Winke. Maar hout kan wel bezield zijn, zeker hout van heilige bomen die lang door mensen zijn omhelsd.'

'Wat is een ziel eigenlijk?' vroeg Winke.

'In elk mens schuilt een ziel, een vonk, een stukje vuur dat niemand anders heeft. Zo moet je dat zien.'

De priesteres keek Winke met een milde blik aan. 'Zo'n stukje vuur is éeuwig vuur. Zulk vuur kan bijvoorbeeld in deze boom terechtkomen. In de oude boeken staat dat de ziel al tijdens het leven beetje bij beetje in een heilige boom kan kruipen.'

Ineens kreeg mevrouw Holda een droevige blik in haar ogen. Haar mondhoeken zakten een centimeter naar beneden.

'Meisje,' zei ze. 'Ik waarschuw je nogmaals. Deze tak is níét voor jou bedoeld. Zij is voor Chantal K., een dame die jij zegt niet te kennen. Laat ik duidelijk zijn. Ik geloof je niet. *Jij kent haar wel degelijk*!'

Winke staarde naar de grond, want deze vrouw recht in de ogen kijken was nauwelijks mogelijk. In die ogen leek ook wel eeuwig vuur te branden. Wat moest ze doen? Wat moest ze zeggen? Konden er voor deze priesteres wel dingen verborgen blijven? Winke besloot dat liegen geen zin meer had.

'Ja,' gaf ze schoorvoetend toe. 'Ik ken haar, maar de stick is nu eenmaal van mij. De bliksem sloeg in onze boom in. Ik vond de stick. Ik speel heel goed met hem... eh... haar. Ik zorg er goed voor. De stick is en blijft dus van mij! Voor altijd!'

Winkes mond was een harde streep geworden. Haar ogen spraken ook duidelijke taal. De taal van een stijfkop.

'Dommerd,' reageerde de vrouw. 'Hier zijn hogere machten in het spel. De bliksem heeft jou deze stick bezorgd met een bedoeling. Er zit een plán achter waar wij mensen niets van begrijpen. Maar wij weten dus wel dat deze tak is bedoeld voor Chantal K. Als jij dwars blijft liggen, loopt het fout met je af. De tak wordt een vijand van je. Hoor je me? Een vijand! Dan wordt het oorlog!'

Bij het woord 'oorlog' moest Winke heftig slikken.

'Dat zou ik vervelend vinden, want ik vind je een leuk meisje, een héél leuk meisje.'

Winke graaide de stick van tafel. Vliegensvlug stopte ze hem in de sticktas.

'Bedankt voor alles,' zei Winke.

'Hoe is het eigenlijk met je konijn?'

'Goed. Hij zit niet meer in de wind.'

'Mooi zo.'

De vrouw sloot haar ogen. Haar oogleden trilden. De rimpeltjes in haar gezicht leken zich te verdiepen.

'Lieve kind,' mompelde ze zachtjes voor zich uit. 'Wat ben je eigenwijs. Goed, je moet het zelf weten. Eerst kwam er bliksem uit de hemel, straks komt er een ander teken uit de lucht vallen, een gruwelijk teken. *Accipiter gentilis*. Ja, ja.'

Winke hoorde deze dreigende taal en aarzelde niet langer. Zonder mevrouw Holda te groeten rende ze hard weg. Hijgend bereikte ze de bushalte. Daar keek ze spiedend om zich heen. Als Kraak haar maar niet gevolgd was! Ze zag rode auto's, groene en gele, maar geen zwarte. Ineens werd er luid getoeterd.

'Papa!' riep Winke uit.

Haar vader zat achter het stuur met een gezicht als een oorwurm. Hij parkeerde de auto half op de stoep en gooide het portier open.

'Stap maar in, jongedame,' zei hij kwaad. 'Dit is dus de laatste keer dat je zomaar wegloopt. Ik...'

'Maar ik heb mama gebeld. Ze weet ervan.'

'Waarom denk je dat ik hier ben? Je moeder was in alle staten. Ze zat in een belangrijke vergadering en heeft mij gebeld. Stap in!'

Winke stapte in. Ze deed de autogordel om.

'We hebben je verdorie wel tien keer gebeld. Waarom stond je mobiel uit?'

'Tja, de stick...'

'Ach, hou op over die stick. Ik wilde dat ik die tak in honderd stukken had gezaagd!'

Haar vader keek haar aan. 'Ik heb er met je moeder over gesproken. Voorlopig geen Harry Potter meer voor jou! Je laat je veel te veel beïnvloeden door al die hocus pocus.'

Met een vaart zoefden ze weg.

'Zie je de heilige eik, pap?'

Haar vader keek met tegenzin in zijn achteruitkijkspiegel.

'Ja Winke, ik zie hem, maar die boom is heus niet heilig. Dat is achterlijk bijgeloof.'

'Daar woont zij. Zij heeft de stick beter gemaakt.'

Haar vader slaakte een diepe zucht, zo'n zucht die uit het puntje van je tenen komt. 'Stop met die flauwekul, Winke. Bewaar het maar voor je opstellen.'

Winke staarde een tijdje zwijgend uit het raam. 'Papa, wat zei de politie?'

'Er zijn geen sporen van een inbraak, maar de regenpijp moet voor een deel vernieuwd worden. De politie denkt aan een of andere gek, een idioot van het zuiverste water, want wie pikt er nou een hockeystick?'

Winke staarde naar de bomen langs de weg. Allemaal boomlijkheden.

'Jürgen Kraak,' zei ze toen. 'Zo heet die idioot van het zuiverste water.'

Haar vader kuchte achter zijn hand. 'Ik heb op internet eens wat informatie over meneer Kraak opgezocht,' zei hij. 'Die man is directeur van een grote computerbusiness. Denk je nou echt dat hij zijn goede naam op het spel zet voor zoiets als een hockeywedstrijdje? Wat denk je nou zelf?'

Winke zweeg gedurende de rest van de rit. Haar vader zette haar bij school af en stoof er met een noodgang vandoor.

Tussen de middag kwam Winke thuis. Haar moeder was er al. Boven het hoofd van Nancy Penninx hing een onweerswolk en haar wijsvinger zwaaide driftig heen en weer. Dat deed Winke ergens aan denken. Ze keek naar haar pink. Het wratje was weg.

Een havik op de lat

De uitgestrekte vleugels van de havik waren samen ruim anderhalve meter breed. Hoog in de lucht draaide hij steeds kleinere cirkels. Langzaam daalde hij naar de aarde. In de diepte trainden de hockeymeisjes van Boxtel D1. Nog altijd vloog de roofvogel rondjes in de lucht, maar nu kon je vanaf de grond al goed zijn kleuren zien. Zijn onderkant was vaalwit en zijn zijkant was gekleurd met dunne, donkerbruine strepen. Ook waren nu de klauwen zichtbaar, waarmee de havik zijn prooien doodt; dieren als hazen, konijnen en eekhoorns. Uit zijn kromme snavel kwam een geluid dat klonk als: gek-gek-gek-gek-gek-gek!

Eerder op de dag had het Winke veel moeite gekost om haar stick naar de training te krijgen. Ze had staan sjorren en vloeken, maar Winke kreeg hem wéér niet van de grond. Ze liet er alle mogelijke toverspreuken op los, maar het ding bleef er doof voor.

'Ondankbaar stuk stick!' had ze geroepen. 'Jij hebt in mijn bed geslapen! Ik heb je helpen genezen! Ik ben voor jou naar Den Hout gereisd! Door jou heb ik vreselijk op mijn kop gekregen! Ik verwacht van jou dankbaarheid in plaats van dit gedrag!'

Maar de stick gaf geen krimp. Wat nu? Verdorie, de tijd begon te dringen! Ten einde raad liet Winke zich op de grond vallen en kroop naar de stick toe, zoals slavinnen naar hun meester kruipen. Toen ging ze langzaam op haar knieën zitten en sloeg zeven keer met haar hoofd tegen de grond, steeds harder. Bij de laatste keer kon ze een kreet van pijn niet onderdrukken. 'Au!'

Maar de stick kreeg geen medelijden. Hij bleef loodzwaar. Toen had Winke als lokkertje de rode trainingsbal voor het slagvlak gelegd.

'Daar ligt een bal vlak voor je neus,' zei Winke. 'Zie je hem? Beweeg dan! Sla dan!'

Maar er gebeurde niks. Eerder had ze vuur gebruikt om de stick in beweging te krijgen. Met bijna fatale gevolgen.

Daarom probeerde ze het nu met water. Ze vulde een beker met koud water en smeet dat over de bolle kant van de stick.

'Zo! Wakker?'

Maar in de stick was geen beweging te krijgen. Over een halfuur begon de training al. Wat nu? Toen deed Winke iets gevaarlijks. Ze boog zich over de stick heen en fluisterde met een lieflijk stemmetje: 'Ik breng je naar Chantal. Die lieve, leuke Chantal. Ga je mee naar Chantal Kraak?' Ze had deze twee zinnetjes nog niet gezegd of de stick was moeiteloos van de grond te rapen.

'Goe-goed zo,' stotterde Winke, terwijl er een koude rilling over haar rug liep. 'Je... je bent braaf.'

De stick liet zich gewillig in de sticktas stoppen en tot de eerste slagen op het veld ging het goed. Ruben had weer reden om te hatseflatsen als zijn linksbuiten de bal met speels gemak in het doel sloeg. In het partijtje ging het echter goed mis, of goed raak, het is maar hoe je het bekijkt. Eerst werd Birthe van achteren door Winke gehaakt. De spits maakte een flinke smak.

'Doe eens normaal, Winke,' riep ze. 'Dit slaat nergens op!'

'Sorry,' zei Winke. 'Het ging per ongeluk.'

De waarheid was dat Winke van de ene op de andere seconde de controle over de stick had verloren. Het was de stick die zijn krul om de rechtervoet van Birthe had geslagen. Nog geen minuut later sloeg Winke keihard met haar stick tegen de knie van Sterre, althans, het was de stick die zo gemeen uithaalde.

'Au!' gilde Sterre. 'Kijk toch uit!'

Het spel werd stilgelegd, want Sterre had verzorging nodig. Op haar linkerknie was een blauwe plek ontstaan.

'Je deed het expres,' riep Sterre uit. 'Sinds je die stick hebt ben je veranderd! In de klas en op het veld.'

'Dat is niet waar,' gilde Winke. 'Het ging per ongeluk. Je bent gewoon jaloers!'

Ruben maande beide speelsters tot kalmte.

'Je moet je wel inhouden, Winke,' zei Ruben, terwijl hij ruw een natte spons over Sterres knie haalde. 'Blessures kunnen we missen als kiespijn. Of wil je dat Vught zaterdag kampioen wordt?'

Winke schudde haar hoofd. De knokkels van haar handen waren spierwit, zo stevig hield ze de stick vast. Winke probeerde de stick in een soort houdgreep te nemen, maar het hout liet zich niet zo makkelijk temmen. De linksbuiten vóélde de drift erdoorheen suizen. Toen het spel werd hervat, besloot Winke zo ver mogelijk van de bal te blijven. Deze tactiek leek te werken. Ver van de anderen hobbelde ze langs de zijlijn. Hoe nu verder? Zou ze net doen alsof ze een blessure had? Dan kon ze naar huis en zou de stick geen schade meer kunnen aanrichten. Ja, dat was...

GEK, GEK, GEK, GEK, GEK!!!!

Het vogelgekrijs ging door merg en been. De havik draaide geen cirkels meer. Met de vleugels stijf tegen zijn lichaam gedrukt dook hij schuin naar beneden. Daarna ging de glijvlucht recht vooruit. Ruben en de meisjes keken omhoog en zagen de roofvogel op hen afkomen. De oranje ogen waren op één ding gericht: de bal. Voordat de meisjes ook maar een gil konden slaken, verdween de hockeybal in de klauwen van de havik. De vogel nam zijn prooi mee de lucht in en landde verderop in het gras.

Een teken uit de lucht, dacht Winke met knikkende knieën. Dit moet het gruwelijke teken uit de lucht zijn!

Al snel had de havik met zijn snavel ontelbare gaatjes in de bal gebeiteld. Toen steeg hij weer op en zweefde vlak boven de hoofden van de speelsters.

'Geen paniek, meiden,' riep Ruben. 'Naar de kleedkamer! Geen paniek! Allemaal snel naar de kleedkamer!'

Maar alle speelsters waren wél in paniek. De meisjes gilden als speenvarkens. Ineens maakte de vogel een scherpe bocht en koerste recht op het doel af, waar Barbara als versteend op de doellijn stond. Het meisje zwaaide haar stick als een zwaard in de lucht om de vogel af te weren.

ZOEF! PATS!

De havik scheerde over haar heen en landde met een klap op de lat. Daar bleef hij zitten. Barbara rende weg alsof haar een zwerm bijen op de hielen zat. Ruben en haar medespeelsters vingen haar op bij de half geopende deur van de kleedkamer.

'Ik dacht dat hij dwars door het doelnet heen zou vliegen,' zei Barbara nog nahijgend. 'Het geflapper van die vleugels boven mijn hoofd. Allemachtig, wat was dat eng! Ik schrok me te pletter!'

'Weer eens wat anders dan een engel op de lat, Bar,' zei Marjolein droogjes.

'Dat rotbeest lijkt wel hondsdol,' zei Sterre. 'Of hij heeft vogelgriep en is gek geworden.'

'Ga weg!' riep Ruben in de richting van het beest. 'Ga weg, donder op!'

Hij pakte een stick, liep met ferme pas een eindje het veld op en zwaaide er dreigend mee, maar de havik verroerde geen veertje. Met zijn haviksogen loerde hij naar de speelsters.

'Ik wil naar huis,' jammerde Angela.

Tamara stond met haar mobiel aan haar oor. 'We zijn aangevallen door een roofvogel, mama,' zei ze. 'Hij heeft de bal kapotgemaakt en zit nu op de lat van het doel. Nee, ik maak geen grapje. Wat? Nee, hij wil niet weg. Kom je me halen, alsjeblieft?'

'Ja mam,' zei Birthe op haar beurt in haar mobiel. 'Het is een enorm beest, ik denk een havik. Kom je gauw? Hij houdt ons gevangen. Het is doodeng!'

Winke had zich ondertussen op de wc in de kleedkamer verschanst. Hier kon ze ongemerkt tegen haar stick praten.

'Het spijt me,' fluisterde ze. 'Ik beloof je dat ik je vandaag aan Chantal Kraak geef. Echt waar. Stuur alsjeblieft die enge vogel weg. Vanmiddag ben je bij Chantal. Echt!'

De stick begon ineens te sissen als een nest giftige cobra's. Het blaadje begon langzaam nee te schudden.

'Ik beloof het je,' zei Winke met een snik in haar stem. 'Ik zal niet meer tegen je liegen. Echt niet. Nogmaals sorry.'

Ineens klonken er van buiten opgewonden stemmen.

'Hij gaat weg! Kijk, hij vliegt weg!'

'Hij pikt de bal mee. Zie je dat? Hij heeft de bal in z'n klauwen!'

Winke rende de wc uit en snelde naar de deur van de kleedkamer. Daar zag ze de havik boven de tribunes van het hoofdveld vliegen. Steeds verder en verder ging de vogel, totdat hij een stipje aan de horizon was.

Chantal de Hakker

Winke trapte stevig door. Met de fiets was het een halfuurtje van de Boxtelse hockeyclub naar de velden van MOP. Ze had geen idee wanneer de D1 van Vught trainde, maar goed, ze zou het wel zien. Misschien kon ze bij de club naar het adres van Chantal Kraak vragen. Dan kon ze de stick daar afgeven. Winke slaakte een zucht. Uit de sticktas klonk een geluidje en meteen trapte ze de pedalen nog sneller rond.

O, dacht Winke, als Kraak dan maar niet thuis is met z'n diepgevroren pizzahanden. O, laat die meiden alsjeblieft op donderdagmiddag trainen!

Eigenlijk moest Winke na de training rechtstreeks naar huis, want na het spijbelincident, zoals haar moeder het noemde, waren de huisregels strenger geworden. Maar wat moest Winke anders? Wat voor rampen zouden er wel niet gebeuren als zij de toverstick vanmiddag niet aan Chantal gaf? Zou de havik Dibbes met huid en haar verslinden? Of Winke de ogen uitpikken?

Een nieuwe stick, dacht Winke. Er moet een nieuwe stick komen, want ik kan zaterdag moeilijk met m'n ministickje spelen.

Wat voor stick moest het zijn? Ach, Winke dacht er liever niet aan, want al kreeg ze de stick van Fatima Moreira de Melo, nóóit zou ze meer zo goed spelen als met de eikentak. Daar was ze met heel haar hart van overtuigd.

In Vught moest ze twee keer de weg vragen, maar daar lagen dan toch de grasvelden van de concurrent. Ze zette haar fiets tegen het hek en liep het sportcomplex van MOP op. Uit het clubhuis kwamen twee meisjes in trainingspakken. Het ene pak was zuurstokroze. Het andere kanariegeel.

'Hé,' zei het zuurstokroze meisje. 'Jij bent toch van MEP? Kom je spioneren?'

'Ik zoek Chantal Kraak,' zei Winke.

'Wacht eens even,' zei de kanariegele. 'Jij bent dat toverstickmeisje. Nou, zaterdag zullen we eens zien wie er gaat toveren!'

Strijdlustig hief ze haar stick in de hoogte.

'Ik zoek Chantal,' herhaalde Winke.

'Chantal doet haar extra huiswerk,' zei de zuurstokroze.

'Hoe bedoel je?'

'Ze moet extra trainen van haar vader. Je vindt haar op veld twee. Dat is daar.'

'Oké. Dank je.'

Op veld twee probeerde een meisje met de eenhandige techniek de bal voort te drijven. Dat ging niet soepel.

Moet ik aan haar de stick afstaan? dacht Winke. Aan die stuntel! Aan die hakker!

Ja, wist ze, dat móést. Winke keek op haar horloge. Het

was al vier uur. Dit moest ze snel regelen. Hoe sneller hoe beter. Dat deed de minste pijn.

'Hé Chantal,' riep Winke.

Het meisje stopte met drijven en keek om. Haar gezicht verstarde.

'Wat is er?'

'Ik heb iets voor je.'

'Wat dan?'

Winke hield haar sticktas omhoog. 'Deze stick!'

Chantal kwam weifelend dichterbij. Toen beide meisjes elkaar zouden kunnen aanraken, barstte Chantal ineens in huilen uit. Het was een enorme huilbui. Haar hele lichaam trilde, zoals een boom tot in zijn kleinste twijgjes kan trillen na de eerste bijlslag van een houthakker.

'Wat heb je?' vroeg Winke. 'Ik schrik me wild.'

'Het... Het spijt me zo voor je,' snikte Chantal. 'Ik heb gezien wat mijn vader deed, hoe... hoe hij je liet vallen.'

Winke kreeg een raar gevoel in haar buik.

'Ik zag het gebeuren, want ik verwachtte al dat hij zoiets zou doen. Maar ik du-du-durfde er niets van te zeggen. Sorry.'

Chantal veegde de tranen uit haar ogen, droevige ogen. 'Mijn vader... mijn vader...'

Verder kwam ze niet.

Je vader is gek, dacht Winke. En ik wil hier weg.

Chantal Kraak leek wat tot bedaren te komen. Er verscheen een moeizaam glimlachje rond haar lippen. Onder-

tussen had Winke de toverstick uit haar tas gehaald. Zachtjes streelde ze het hout.

'Weet je, mijn vader... Hij kan er ook niet zoveel aan doen. Hij...'

'Klets geen onzin!' beet Winke haar toe. 'Nou, hier heb je de stick. Die pa van je heeft trouwens nog geprobeerd hem kapot te maken! Wist je dat ook?'

'Nee, ik...'

'Mevrouw Holda, een boompriesteres, heeft in dit blaadje jouw naam zien staan. Dat is het. Nu moet ik weg. Ik moet op tijd thuis zijn. O ja, ik wens je zaterdag géén succes met míjn toverstick!'

Met grote passen liep Winke weg. Chantal Kraak bleef verbijsterd achter met de toverstick in haar linkerhand.

'Wat moet ik ermee?' riep ze Winke na. 'Wat moet ik ermee?'

'Zoek het maar uit!' schreeuwde Winke terug.

Er stonden tranen in Winkes ogen toen ze langs het clubhuis naar haar fiets rende. Met bibberende vingers probeerde ze het fietsslot te openen. Door de tranen en het bibberen lukte dat niet zo snel. In haar hoofd was het heel onrustig. Ineens drong het tot haar door dat medespeelsters haar van verraad zouden kunnen beschuldigen. Ze had de toverstick immers zojuist aan de directe concurrent gegeven! Maar ze móést de stick afgeven. Het kon toch niet anders? Wat had ze dan...

'Hé, Winke Penninx!'

Winke keek verbaasd over haar schouder. Ze zag een

grote man in een overall met aarde aan zijn handen. Hij had vriendelijke ogen boven een brede neus. Onder de neus hing een gitzwarte snor.

'Ik herken je uit de krant,' zei de man. 'Mijn naam is Guus. Ik regel dat de velden er hier netjes bij liggen.'

Klik! Daar ging dan toch het slot open. Winke ging op het zadel zitten. Ze veegde de tranen uit haar ogen en zette haar rechtervoet op het pedaal.

'Ik hoorde je nogal tekeergaan tegen onze Chantal. Dat vind ik niet leuk. Dat meisje hééft het al zo moeilijk.'

Uitdagend keek Winke de man aan. 'Logisch met zo'n vader.'

'Precies, maar hoe is die vader zo gewórden? Heb jij wel eens van Stella Artis gehoord?'

'Natuurlijk, dat was een tophockeyster.'

'Nou, Stella Artis was de moeder van Chantal.'

Hier was Winke even stil van.

'Ze hockeyde onder haar meisjesnaam. Zes jaar geleden is ze overleden aan borstkanker. Haar man, Jürgen Kraak, is toen een tijdje de greep op zichzelf verloren. Of hij was een tijdje gek van verdriet, zo kun je het ook noemen.'

Winke knikte begrijpend.

'Nu gaat het wat beter met hem, maar helaas heeft Kraak het in zijn kop gehaald dat Chantal de nieuwe Stella moet worden, een hockeytopper, een kampioene, terwijl het kind geen enkele aanleg heeft.'

Guus gebaarde achter zich. 'Hij laat haar zelfs extra trainen. Nou goed, dat heb je gezien.'

Winkes hersens draaiden op volle toeren. Jürgen Kraak

wilde zijn dochter haar eerste kampioenschap bezorgen. Daarom wilde hij de toverstick kapotmaken. Dat mislukte. Nu had zijn dochter de stick. Was dit logisch? Winke begreep er niks van. Wat was het plan? Volgens mevrouw Holda was er een plan.

'Ik vermoed dat Kraak haar thuis ook nog rondjes laat rennen op zijn landgoed. Zo knetter is hij wel.'

Guus keek naar de aarde op zijn handen. 'Ik heb hem erop aangesproken, want anderen durven het niet. Hij werd woedend. Praten met hem heeft geen enkele zin. Dat dwaze idee zal eruit geslágen moeten worden, vrees ik. Nou goed, dat wilde ik je even zeggen. Tot kijk, Winke.'

De man liep weg.

'Dag,' zei Winke zachtjes.

Winke had nog altijd haar rechtervoet op de trapper. Toen nam ze een besluit. Ze zette haar fiets weer op slot en liep terug naar veld twee. Daar trof ze Chantal aan, zittend in het gras met twee hockeysticks. Uit het eikenhouten exemplaar kwam een geluid dat ook voor Winke nieuw was. Het leek het meest op een snikken uit diepe dankbaarheid. Het klonk als iemand die bevrijd is.

'Hoi,' zei Winke. 'Ik kom het allemaal uitleggen.'

'Dat... dat vind ik fijn,' stotterde Chantal. 'Ik vind het eng. Ik begrijp het niet.'

Winke streelde haar oude stick. 'Toe maar,' zei ze. 'Je moet haar strelen.'

Beide speelsters liefkoosden het hout.

'Wat is een boompriesteres?' vroeg Chantal.

Winke vertelde. En ze vertelde nog meer, nee, ze vertelde álles. Toen ze na een kwartier was uitgepraat, zei Chantal: 'Nu begin ik het te begrijpen. Mijn vader zei dat het allemaal onzin was, maar dat ís dus niet zo. Winke, wat is je adres? Geef het me snel, want ik móét je iets opsturen!'

Hockeyboom

De volgende dag ontving Winke een brief van Chantal. De envelop bevatte twee opmerkelijke boodschappen. De eerste was een kopietje van een brief van haar moeder, Stella Artis. Die brief luidde als volgt:

Lieve Chantal,
Net als prinses Irene en de oude koningin Juliana praat ook ik met bomen. Een boom praat niet met woorden terug hoor, maar hij verandert wel mijn stemming, mijn humeur. Bomen zijn wezens die gevuld zijn met energie, die energie stralen ze uit. Dat kan ik voelen. Daar is verder niks geheimzinnigs aan. Zo kan ik een boom iets vragen en opeens in mezelf een antwoord horen. Of dat antwoord van de boom komt of van mij, vind ik niet belangrijk. In ieder geval heeft de boom me geholpen een antwoord te vinden. Daar gaat het om! Toen ik hoorde dat ik dood zou gaan, heb ik niet alleen jou en papa, maar ook zoveel mogelijk een oude eik omhelsd, want ik had gelezen dat vooral stokoude eiken heel veel energie uit de kosmos trekken, je weet wel, het heelal. Of dit nu klopt of niet, die boom heeft me geholpen om de pijn niet meer zo hevig te voelen, de pijn om niet meer bij jullie te

kunnen blijven. De kracht van die oude eik stimuleerde mijn eigen kracht. Deze bijzondere boom staat trouwens in een tuin bij een groot huis in Boxtel, vlak bij ons mooie Vught. Om de bewoners niet lastig te vallen met mijn omhelzingen van hun boom, heb ik dat steeds stiekem 's nachts gedaan. Dat was ook spannend! Aan een grote zijtak van de eik hing een schommel. Soms kon ik de verleiding niet weerstaan en zat ik op die schommel, terwijl alleen de maan toekeek. Lieve schat, als jij erg verdrietig bent als ik weg ben, praat dan eens met een mooie, oude boom. Het helpt! Het geeft troost!
Liefs, mama

Een tweede briefje in de envelop was heel anders van inhoud en toon. Het was geschreven door Chantal Kraak. Dit schreef ze:

Hoi Winke!
Moet je luisteren wat er gebeurd is. Mijn vader haalde me gisteren van de training in z'n sportauto en we reden naar huis, een landhuis met een enorme tuin aan de rand van Vught. Op de oprijlaan voelde ik de toverstick al onrustig worden. Ik had hem samen met mijn gewone stick in mijn sticktas gedaan. Die tas lag bij me op schoot en begon te bewegen. Ik vond het doodeng! We stopten bij de garage en toen vroeg ik mijn pa waarom hij hinkte. Hij had zich aan een bloempot op het bordes gestoten. Ja, ja! Jij en ik weten beter! Goed, het leek me slim om de stick voor mijn vader verborgen te houden. Ik was ook niet van plan om er zaterdag mee

te spelen, want ik wil jou niet in de problemen brengen. Zie je al die journalisten al voor je met hun vragen? Trouwens, ik zal zaterdag niét spelen, sterker nog, ik zal nooit meer een hockeystick hoeven aanraken! Maar dat lees je zo.

Ik liep dus met mijn sticktas op het bordes toen mijn vader zei dat ik op het gazon achter ons huis nog wat sprintoefeningen moest doen. En dat ik moest oefenen op de slag met het puntje, een typische slag van mijn moeder. Ik wilde dat niet, maar durfde het niet te zeggen, want mijn pa kan driftig zijn. Dan scheldt hij me vreselijk uit en worden zijn blauwe ogen pikzwart. Dus liepen we naar de achterkant van het huis. Daar kijk je over de weilanden uit. In de verte zie je klooster Sparrendaal liggen. We stonden daar, toen er een soort slangengesis uit de sticktas klonk, precies zoals jij me beschreef. Mijn vader vroeg wat er in de tas zat. Ik wist niét wat ik moest zeggen. Mijn pa greep de tas beet en zei: 'Zit er soms een adder in?' Hij begon als een idioot tegen de tas te trappen. Ik riep: 'Niet doen, niet doen! Geef hier die tas!' Ik maakte de tas open en haalde de toverstick tevoorschijn. Mijn pa werd helemaal groen. Echt, hij werd zo groen als ons gazon en liep toen met grote passen weg. Aan de rand van de zwemvijver bleef hij staan, met zijn rug naar me toe.

Toen werd ik pisnijdig, witheet en ziedend tegelijk. Om alles! Ik had de stick in mijn handen en ineens wist ik wat ik moest doen. Ik moest mijn vader sláán. Ik neem aan dat de toverstick mij de kracht gaf, want alleen had ik het nooit gedurfd. Ik liep naar hem toe, ging vlak achter hem staan en riep: 'Voor elke rake klap een dvd!' En sloeg hem vol op zijn kont. Hij gaf een gil, draaide zich om en vroeg kwaad: 'Wat doe je?'

Dus ik zei: 'Jou in het water slaan.' Ik sloeg hem met één mep de vijver in. Daar lag hij proestend tussen de eenden in zijn nette kostuum. Toen was al mijn opgekropte woede eruit en werd ik weer rustig. Ik hielp hem aan de kant en haalde het kroos uit zijn haar. Zonder een woord te zeggen liep hij weg. Als een geslagen hond.

Even later stond ik alleen aan de rand van ons bos en daar kreeg ik een knettergek idee. Vlak bij een berk groef ik met mijn hand een gat in de grond en stopte jouw toverstick erin, uiteraard met de krul omhoog. Toen viel me ineens iets op. Bij het waaien van de wind bewegen de boomblaadjes normaal gesproken elk een eigen kant uit. Het ene blaadje knikt van ja, het andere schudt van nee, een ander wisselt knikken en schudden af, en weer anderen bewegen maar wat raak. Maar op het moment dat ik de stick plantte, knikten alle blaadjes in het bos, geen enkele uitgezonderd, hardnekkig van ja. Al het gebladerte knikte krachtig van ja. Ontroerend was het. En weet je, vlak voordat ik deze brief postte, zag ik al drie nieuwe blaadjes aan de stick. Het wordt een echte hockeyboom!

Later op de avond, toen ons dienstmeisje het eten op tafel zette, vroeg mijn vader of ik wilde stoppen met hockeyen. Ik zei dat ik al gestopt wás. Toen begon hij te huilen. Hij zei dat hij spijt had van zijn dwingelandij en gescheld. Dat hij nu pas begreep dat ik Chantal was en niet Stella. Dat ik moest doen wat ik zelf wilde. Daarna heb ik ook gehuild en hebben we geknuffeld. Toen merkte ik dat zijn handen niet meer zo

koud waren, niet meer zo diepvries, zoals jij het noemde. Mijn vader is weer warm en lief. Hij is ontdooid. Zijn hart en handen zijn niet meer van ijs. Ook zijn ogen veranderden. Ze zijn zachter, meer lichtblauw. We hebben het uiteraard over jou gehad. Hij wil jou bij de wedstrijd van zaterdag graag zijn excuses aanbieden. Dat meent hij, Winke. Echt, je hoeft niet meer bang voor hem te zijn! We hebben ook gepraat over de stick. Ik vertelde hem dat mevrouw Holda denkt dat er een stukje van mama's eeuwig vuur in jouw boom is gekomen, maar dat vindt hij onzin. Jammer, hè? Nou goed, veel succes zaterdag! Ik kom kijken.
Groetjes van Chantal

Magisch doelpunt

Op die beslissende zaterdag voelde Winke zich als een jong vogeltje op de rand van het nest, klaar om uit te vliegen. Ja, nu zou ze het zonder hulp van de toverstick moeten doen, maar Winke had er toch vertrouwen in. Haar gloednieuwe stick van aluminium en plastic beviel haar prima. In de tuin had ze de vrijdagmiddag ervoor met succes allerlei moeilijke oefeningen gedaan. Zelfs de nektruc was gelukt! Uiteraard hadden haar ouders en zusjes naar de toverstick gevraagd. Waar was hij gebleven?

'Zíj is een hockeyboom geworden,' had Winke plechtig gezegd.

'Een wát?' vroeg haar vader.

'Een hockeyboom. Is dat zo gek?'

'Van lotje getikt,' oordeelde Xandra. 'Helemaal kierewiet.'

'Je stick is dus weg,' zei haar moeder.

Winke knikte.

'Maar vind je dat dan niet erg? Je was gek op dat ding!'

Winke schudde haar hoofd. 'Zo is het goed, mam.'

'O?' zei haar moeder. 'Nou ja, oké, ik ben gewoon verbaasd.'

'Ik durf te wedden dat hij stuk is,' sneerde Xandra. 'Je bent er zeker weer bovenop gevallen na een tackle door een toeschouwer.'

'Het is een zíj hoor,' reageerde Winke kalm. 'Ze is een boom geworden. Ik kan er ook niks aan doen.'

'Waar staat die hockeyboom dan?' vroeg Emma.

'Aan de rand van een bos bij een groot landhuis,' zei Winke. 'Misschien neem ik je er wel een keer mee naartoe.'

'Jippie!' juichte Emma. 'Groeien er ballen aan?'

Iedereen lachte.

'Dat kan toch!' zei Emma. 'Een kerstboom heeft toch ook ballen?'

Iedereen lachte nog harder.

'Oké Winke,' had haar vader ten slotte gezegd. 'Nu even serieus. Kom mee. Dan gaan we een nieuwe stick kopen. Eentje zonder blaadje en schors.'

Tijdens de warming-up op het hoofdveld van Vught dacht Winke aan mevrouw Holda. Ze had gelijk gehad. Er zat inderdaad een plan achter de toverstick. Het plan was om Chantal te verlossen van het domme fanatisme van haar vader. Het plan was om die twee, vader en dochter, met elkaar te verzoenen. Het plan was om van de gekke Jürgen Kraak weer een normaal mens te maken. Maar wat was de rol van Winke? Was ze slechts een pionnetje in dit schaakspel? Moest ze niet meer doen dan Chantal de stick geven? Was ze nu klaar? Kwam er verder niets meer? Was het dan puur toeval geweest dat Stella Artis hun eik had omhelsd? Wat zou...

'Hé Winke! Is het gras kort genoeg?'

Winke schrok op uit haar overpeinzingen. Achter de reclameborden stond Guus.

'O, Guus! Het veld is prima hoor! Mooi, dat echte gras!'

Guus zwaaide en liep door. Hij stelde geen lastige vragen zoals eerder de pers wél had gedaan. Toen de warming-up begon, ontdekten de journalisten dat Winke met een andere stick speelde. Waar was de toverstick gebleven? Stuk gegaan? Om het antwoord van Winke werd smakelijk gelachen. Een *hockeyboom* geworden? Wat was dat nu weer voor gekkigheid. Waarom deed ze niet serieus?

'Ik spreek de waarheid,' zei Winke. 'Maar nu ga ik weer warmlopen, dames en heren van de pers.'

Ook Ruben en de andere speelsters hadden vol ongeloof gereageerd. De coach was bezorgd. Zouden ze het wel redden zonder de toverstick? Sterre en Barbara waren vooral opgelucht. Nu konden zíj weer eens de ster van het veld zijn. Dachten ze. Toen Ruben zijn speelsters bij elkaar riep voor de yell, speurde Winke de lange haag toeschouwers af. Geen Jürgen Kraak. Geen Chantal. Haar ouders en zusjes waren wel van de partij.

'We moeten winnen,' zei Ruben. 'Dit is onze kans. Pak hem! Vooruit meiden, maak er wat moois van.'

De speelsters van zowel MEP als MOP riepen hun yell. Daarna floot de scheidsrechter en begon de wedstrijd.

Zonder toverstick voelde Winke zich vrijer in het veld. Eindelijk hoefde ze niet bang meer te zijn voor de nukken en grillen van dat ding. Haar nieuwe stick was honderd procent betrouwbaar. Dit gevoel gaf Winke nóg meer zelfvertrouwen. Ook zonder toverstick liep ze zich makkelijk vrij. Wel miste ze het lekkere gevoel dat de bal tijdens een dribbel aan de krul blijft plakken. Haar eerste balcontact mislukte.

Daar is verdikkeme de oude Winke weer, dacht Ruben. Heeft het dan toch aan die gekke stick gelegen?

De tweede bal ging al een stuk beter. Winke verstuurde een mooie pass naar Birthe, die het doel op een haar na miste. Bal nummer drie ging niettemin weer fout. Deze bal huppelde als een konijntje over Winkes stick heen. Het betekende een uitbal voor Vught. De gastvrouwen waren de eerste helft sterker. Barbara moest drie keer redding op de doellijn brengen en Ruben kon maar één keer hatseflatsen, toen rechtsback Lisa de bal op eigen helft een dreun gaf. Winke rende de longen uit haar lijf. Ze tackelde dat het een lieve lust was, maar er kwam niets geniaals uit haar handen. Een van haar schoten op doel belandde zelfs vlak bij de cornervlag.

'Ik ga naar huis,' zei journalist Lex Lammers. 'Dat meisje is het kwijt. Jammer.'

'Ze is duidelijk niet de nieuwe Stella Artis,' zei een andere verslaggever. 'Die stick was kennelijk toch een toverstick.'

De andere verslaggevers lachten en letten niet meer goed op. Ruben daarentegen kon zijn ogen niet van zijn linksbuiten afhouden, want wat was dat meisje veranderd! Voorheen was ze een droomster, zo'n typje waarmee je nooit wedstrijden zult winnen. Maar moest je nu eens kijken! Ze was een vechtersbaas geworden, een pitbull. Ook zag de trainer dat Winke ballen vaak niet op tijd kreeg. Haar medespeelsters zagen niet snel genoeg dat ze precies op de goeie plek stond om de bal te ontvangen. Zo speelde Marjolein de linksbuiten voor de derde keer te laat aan, waardoor Winke alweer gedekt stond en de bal aan een tegenstandster verloor.

'Zonder die eikenhouten stick gaat het een stuk minder,' mompelde haar vader.

Toen riep hij uit volle borst: 'Kom op, Winke. Je kunt het ook met aluminium!'

'Goed gelopen, Winke!' brulde Ruben erachteraan. 'Speel die bal eerder, Marjolein. Veel eerder!'

Marjolein knikte dat ze het begreep, maar dat zou dan in de tweede helft moeten gebeuren, want een van de scheidsrechters blies voor rust.

'Ze loopt zich een slag in de rondte, schat,' zei Winkes vader, terwijl ze met zijn vieren naar het clubhuis liepen.

'Ja, ze is ook fel, Lucas. Maar het levert weinig op. Hopelijk gaat het in de tweede helft beter.'

'Is het nog steeds 0-0?' vroeg Emma.

'Nee, het is 6-6,' zei Xandra. 'Nou goed!'

'Wanneer gaat Winke een doelpunt maken?'

Haar vader aaide Emma over haar bol. 'Misschien in de tweede helft. Maar nu gaan we eerst iets drinken.'

'Mag ik ijsthee?'

'Uit een gat in de hemel of uit een flesje?' vroeg Xandra.

Bij de bar werden ze aangesproken door een heer op krokodillenleren schoenen. Hij liep mank met zijn rechterbeen.

'Goedemiddag,' begon hij. 'U bent de ouders van Winke Penninx?'

'Jazeker,' zei Winkes moeder. 'Bent u een journalist? Ik wil nog graag even zeggen dat wij onze dochter...'

'Nee, nee,' onderbrak de man haar. 'Ik ben Jürgen Kraak. Ik... eh... ik ga straks uw dochter mijn excuses aanbieden voor mijn wangedrag van de afgelopen tijd.'

Even viel er een stilte.

'O,' zei Winkes vader. 'Kijk eens aan. Maar... eh... u bent toch de directeur van Lokinilex, die computerbusiness in Vught?'

'Zeker,' zei de heer Kraak. 'Maar ik ben ook degene die uw dochter heeft getackeld met een paraplu.'

De ogen van Xandra en Emma werden zo groot als schoteltjes. Die van hun vader en moeder kregen het formaat van soepborden.

'Ook heb ik haar stick uit uw huis gestolen. Daarnaast heb ik haar bedreigd in een paardenstal in Berlicum.'

Kraak maakte een snuivend geluidje door zijn neus en begon met zijn handen zenuwachtige gebaren te maken. 'Ik probeerde ook de stick kapot te trappen.'

Ineens blonk er een traan in zijn helderblauwe ogen. 'Weet u, toen ik die stick wilde breken, dacht ik even de stem van mijn overleden vrouw te horen. U kent haar vast wel, Stella Artis. Kent u haar?'

Niemand gaf antwoord.

'Maar goed, haar stem leek uit het hout te komen. Onzin, maar ik dacht het echt te horen. Zo in de war was ik. Nu gaat het beter, veel beter.'

Er viel een loodzware stilte, zo zwaar als de toverstick in een slechte bui.

'Eh... ik...' Meer kwam er niet uit de mond van Winkes vader.

'Graag wil ik u de schade vergoeden,' zei Kraak. 'De regenpijp zal wel stuk zijn en toen ik uw dochter onderuithaalde, ging haar stick kapot. Als u aangifte wilt doen bij de politie, begrijp ik dat.'

'Nee, nee,' haastte Winkes moeder zich te zeggen. 'Dat laatste is echt niet nodig. U was in de war en...'

Kraak onderbrak haar.

'Mijn dochter Chantal vertelde me dat u Winkes verhalen over mijn nare streken niet wilde geloven. Daarom vertel ik het u nu zelf. Het is waar.'

Kraak boog zijn hoofd diep voorover.

'Eh... juist,' zei Winkes vader. 'Kan ik u een kop koffie aanbieden?'

In de kleedkamer zaten de meisjes van Boxtel D1 te zwijgen. Ruben was voortdurend aan het woord. Winke moest meer gezocht worden, vond hij. Ze liep zich vaak vrij en had een goed schot.

'Hád een goed schot, ja,' zei Barbara. 'Nu zijn het weer speldenprikjes.'

'Tja, dat heb je als je stick in een boom is veranderd,' zei Sterre grinnikend.

'Een hockeyboom!' knorde Birthe.

'En in die boom hangt zeker een elfje met rugnummer elf,' sneerde Sterre. 'Ik...'

'Geen geplaag, meisjes!' bulderde Ruben. 'Doe wat ik zeg.'

Stilletjes dronken de speelsters van hun limonade. In een hoekje fluisterde Winke heel zachtjes tegen haar nieuwe aanwinst: 'Je laat me toch niet stikken, stick?'

Nee, dat deed hij niet. De tweede helft was nog geen kwartier oud, toen Winke in scoringspositie kwam. Aan de rand van de cirkel kwamen stick en bal op de ideale manier in botsing. Door de technisch perfecte slag had de bal enorme snelheid.

VROESJJJJ! BOINK!

Achter de kansloze keepster sloeg de bal tegen de plank.

'Jippie!' gilde Emma. 'Nu is het 1-0!'

'Goed zo, Winke!' brulde Ruben. 'Hatseflats! Niet van dat benauwde! Klasse doelpunt. Ga door Boxtel. Ga door!'

Maar Boxtel gíng niet door. Binnen twee minuten stond het 1-1 en de Vughtse 2-1 dreigde. Net als in de eerdere thuiswedstrijd brachten keepster en paal redding. Ruben wachtte op een uitbraak van Winke, maar die kwam niet. Wel gebeurde er in de 67ste minuut iets anders. In deze minuut viel het merkwaardigste hockeydoelpunt ooit gemaakt. Boxtel had zich voor even aan de wurggreep van Vught ontworsteld en kreeg een lange corner. Sterre sloeg de corner hard voor het doel, waar de bal via een stick omhoog stuitte. De bal verdween boven Winkes linkerdijbeen onder haar wild opzwaaiende rokje en kwam er aan de andere kant weer onderuit. Nog voordat de bal de grond raakte, zette Winke er met volle kracht haar stick achter.

PATS!

Met een droge knal verdween de bal achter de keepster: 1-2!

'Hatseflats!' dreunde het door heel Vught. 'Niet van dat benauwde! Klasse, Winke!'

Maar de tegenstander protesteerde. Dit telde niet! De bal was immers onbespeelbaar geweest? Maar de scheidsrechters telden het doelpunt. Zij hadden het niet goed kunnen zien, want de bal was werkelijk in een flits het rokje in en weer uit geschoten.

'Mooie assist, rokje,' fluisterde Winke.

Ze werd omhelsd door blije medespeelsters en de coach.

'Een magisch doelpunt!' kraaide Ruben. 'Magisch!'

Vught wist niet meer te scoren en na het laatste fluitsignaal rende iedereen die Boxtel liefhad het veld op. De speelsters kregen bloemen en flesjes frisdrank in handen geduwd. Boven alle klapzoenen uit klonk het clublied. Er werden wel twintig elftalfoto's gemaakt. En toen pas zag Winke hen langs de kant staan: vader en dochter Kraak. Stralend liep de kampioene op hen toe.

'Dag Winke,' zei Jürgen Kraak. 'Ik weet dat je me een vreselijke rotzak vindt. Maar ik wil... Ik wil je... Ik...'

Winke stak hem haar hand toe. 'Zand erover,' zei ze met een glimlach.

De hand van Kraak voelde prettig. 'Dank je,' stamelde haar vroegere vijand. 'Dank je wel.'

'Gefeliciteerd,' zei Chantal. 'Hoe ging die laatste nou?'

'In hockey scoor je soms met je rokkie,' rijmde Winke.

De ouders en zusjes van Winke kwamen erbij staan. Stamelend en stotterend boden Xandra en haar ouders Winke hun excuses aan. Winke gaf hun stuk voor stuk een zoen en zei dat alles goed was.

'Tja,' zei haar moeder tegen Kraak. 'Weet u meneer, dat kind heeft zo veel fantasie en ze maakt zo veel gekke dingen mee... Op een gegeven moment weet je echt niet meer wat je moet geloven.'

'Ik geef u volkomen gelijk, mevrouw,' antwoordde Kraak. 'Ik kan zelf nauwelijks geloven wat ik allemaal heb uitgevreten.'

Winke en Chantal liepen met z'n tweetjes langzaam langs het hek in de richting van het clubhuis.

'Kom je een keer naar mijn konijn kijken?' vroeg Winke. 'Kun je meteen de heilige eik zien.'

'Dat is goed. Kom jij dan naar de hockeyboom kijken?'

'Graag! Ik ben reuzebenieuwd.'

Uit het clubhuis klonken vrolijke liederen, maar Winke hoorde het niet. Ze dacht aan heel andere dingen.

'Waar denk je aan?' vroeg Chantal. 'Je bent niet echt in een feeststemming.'

Winke slaakte een zucht. 'Ik wil zo graag naar Den Hout,' antwoordde ze. 'Om de boompriesteres te bedanken en haar te vertellen wat de bedoeling van het plan was.'

Chantal bleef meteen stilstaan.

'Ik wil die mevrouw Holda ook graag ontmoeten,' zei ze. 'Laten we gaan! Nu! Kom op!'

Op Winkes voorhoofd verschenen denkrimpeltjes.

'Maar hoe komen we daar? In je vaders auto is maar plaats voor twee personen.'

'Misschien met jouw vader?'

'O nee, ik weet zeker dat mijn ouders ons niet naar die

heilige eik willen brengen. En geld voor de bus heb ik niet bij me.'

Plots toverde Chantal een ondeugend lachje op haar gezicht. 'Ik weet al wat. Ik vraag mijn vader of hij Patrick even belt. Voor de limo.'

'De limo?'

'De limousine. Een auto met chauffeur. Ik vraag mijn vader wel of we die even mogen lenen. Dan rijden we snel op en neer.'

'Serieus?'

'Serieus!'

'Prachtig!' zei Winke. 'Vraag het hem snel. Dan ga ik alvast mijn trainingspak aantrekken. Maar denk erom, mijn ouders en zusjes hoeven er niks van te weten!'

Een eigenwijs nest

'Hier rechtsaf, Patrick.'

'Jazeker, juffrouw Penninx.'

'Ik heet Winke hoor.'

'Prima, juffrouw Winke.'

Winke keek Chantal aan. Die haalde haar schouders op.

'Patrick is altijd heel beleefd,' fluisterde ze in Winkes oor. 'Ik ken hem al tien jaar, maar nog altijd ben ik juffrouw Kraak voor hem.'

Ze giechelde. 'Hij zegt ook *u* tegen me. Kun je nagaan!'

Beide meisjes zaten op de zeer ruime achterbank met een bekleding zo zacht als mos. De vensterbanken waren diep en breed. Uit goudkleurige speakers op de hoedenplank klonk klassieke muziek.

'Hier rechtdoor.'

'Zoals u wenst, juffrouw Winke.'

Winke dirigeerde de chauffeur naar de heilige eik in Den Hout, zoals ze in haar droom Dibbes naar de inktzwarte sportauto had geleid.

Achter de chauffeursstoel zat een koelkastje vol met frisdrank. Ook waren er kristallen glazen, maar de meisjes dronken rechtstreeks uit de flesjes. Winke dronk ijsthee, Chantal had cola.

'Wat zou mevrouw Holda vandaag aanhebben?' vroeg Chantal. 'Zoals jij haar beschreef, ongelofelijk!'

'Misschien draagt ze wel een hockeyrokje,' zei Winke giechelend. 'Het is er zonnig genoeg voor.'

'Maar hoe is het mogelijk dat je in een holle boom zulke jurken netjes kunt houden?'

'Geen idee,' zei Winke. 'Maar ze heeft vast weer iets feestelijks aan.'

Winke dronk haar flesje leeg. 'Zeg, Chantal,' zei ze. 'Heb jij toevallig ergens een wrat?'

'Nee. Hoezo?'

'O, jammer.'

'Nou, dank je wel. Hoezo jammer?'

Winke vertelde van haar verdwenen wratje.

'Mmh,' zei Chantal. 'Goed, ik heb geen wrat, maar misschien kan ze mijn oren wat kleiner maken.'

'Ja, of mijn billen wat minder wiebelig!'

Patrick keek in zijn achteruitkijkspiegel naar de twee meisjes die de slappe lach kregen. Hij drukte zijn pet wat dieper op zijn hoofd.

'Ik zie in de verte een oude eik, juffrouw Kraak.'

'Ja, dat is hem, Patrick!' riep Winke uit. 'Snel, geef maar wat extra gas.'

Even later stonden Chantal en Winke bij de eik. De vrouw was nergens te bekennen. In de holle boom zagen ze ook geen krukjes en tafel meer. Alles was weg. De boom zag er volkomen onbewoond uit.

'O nee!' riep Winke uit. 'Ze is vertrokken.'

'Wat nu?' vroeg Chantal.

Winke dacht na. Mevrouw Holda was niet op haar achterhoofd gevallen. Die wist dat Winke naar deze boom terug zou keren. Had de priesteres misschien een boodschap voor haar achtergelaten? Ze speurde in het rond.

'Wat zoek je?' vroeg Chantal.

'Een boodschap. Ze moet een boodschap hebben achtergelaten. Kan niet anders.'

De meisjes zochten in de boom en achter de boom. Ze draaiden elk gevallen blaadje om en speurden de bodem af naar eventuele tekens. Niets. Winke zocht zelfs in de lucht. Zouden de wolken soms een signaal geven? Nee, die dreven langzaam verder. Ook sprak ze de boom toe, en zelfs een enkele rups, maar ze kreeg geen antwoord.

'Dit wordt niks,' verzuchtte Winke.

'Er zijn wel hartjes in de boom gesneden,' zei Chantal. 'Maar die zien eruit alsof dat jaren geleden is gebeurd.'

Winke knikte. 'Ja, en een boompriesteres zal nooit in een boom snijden.'

Terwijl de meisjes zochten, zat chauffeur Patrick achter het stuur een kruiswoordpuzzel in te vullen. Bij de moeilijkste opgaven streelde hij peinzend zijn grijze bakkebaarden. Toen hij klaar was met de puzzel, stapte hij uit.

Even de benen strekken, dacht hij. Goed voor de bloedsomloop.

De chauffeur liep met grote passen over de stoep. De zon deed zijn gouden uniformknopen en gepoetste schoenen flonkeren. Hij neuriede een liedje. Chauffeur Patrick was opgewekt, totdat...

Hé, wat was dat nou? Verdikke, daar had een of andere onverlaat met krijt op de stoeptegels zitten kalken. Wat stond daar in grote hanenpoten?

Van Holda voor W.

Of zoiets. In paars krijt stonden er nog enkele zinnetjes onder.

'Schandelijk,' mompelde Patrick. 'Ronduit schandelijk!'

Hij begon de woorden met de zool van zijn rechterschoen uit te vegen. Dat ging makkelijk. Het krijt moest nog vers zijn.

Eigenwijs nest, ontcijferde de chauffeur. *Ga naar je nest.*

Of zoiets.

'Al dat gescheld,' gromde hij. 'Al die graffiti. Waar is dat nou voor nodig? Bah!'

Chantal zag Patrick allerlei rare voetbewegingen maken.

'Patrick!' riep ze van een afstandje. 'Heb je in de poep getrapt?'

De chauffeur ging direct in de houding staan.

'Nee, juffrouw Kraak, ik verwijderde wat krijt van de stoep. Daarmee, ben ik bang, heb ik mijn rechterschoen enigszins bevuild. Die maak ik nu schoon aan het gras.'

Winke en Chantal kwamen dichterbij.

'Wat zeg je?' vroeg Winke.

De chauffeur maakte een korte buiging met zijn hoofd. 'Ik heb de stoep schoongemaakt, juffrouw Winke. Een of andere vandaal had met krijt een schandalige tekst op de tegels geschreven.'

'Wat!' riep Winke. 'Wat zeg je daar?'

Op die toon was er nog nooit tegen Patrick gesproken.

'Eh... paars krijt, juffrouw Winke. Een tekst in paars krijt op de stoep. Ik...'

'Wáár stond het?'

Patrick wees. 'Daar, juffrouw Winke.'

Onmiddellijk rende Winke naar de aangewezen plek. 'Hier?'

De chauffeur knikte. Er was niets te zien. De tekst was uitgewist. Er waren slechts vage krijtsporen achtergebleven. Winke liep terug naar Chantal en Patrick.

'Wat stond er?' vroeg ze op scherpe toon. 'Kun je me dat zeggen, alsjeblieft?'

Patrick werd helemaal nerveus. Ja, wat stond er ook alweer? Iets met Holda. Dat was zeker. Zijn vingers plukten aan zijn knopen.

'Iets met Holda,' zei hij.

Beide meisjes begonnen meteen als gekken op en neer te springen.

'Ja, ga door, Patrick,' riep Chantal. 'Goed zo. Wat stond er nog meer?'

De chauffeur aarzelde. Hij herinnerde zich de schandelijke woorden. Was zulke taal wel passend voor meisjesoren?

'Iets met nest,' zei hij aarzelend. 'Eén *eigenwijs* nest.'

'Dat ben ik,' gilde Winke. 'Kan niet anders. Daar bedoelt ze mij mee!'

'Stond er nog iets van een opdracht?' vroeg Chantal. 'Moest dat eigenwijze nest nog iets doen? Moest ze ergens naartoe of zo?'

Patrick knikte. 'Zeker, juffrouw Kraak,' zei hij. 'Dat eigenwijze nest moest naar eh... haar nest.'

'O?' zei Chantal.

Ze keek Winke aan. 'Dat slaat toch nergens op, Winke. Je zou naar je bed moeten. Snap jij dat?'

Winke gaf geen antwoord. Ze liep terug naar de plek waar mevrouw Holda haar boodschap had opgeschreven. Van daaruit tuurde ze naar de top van de heilige eik. Ineens brak er een glimlach op haar gezicht door.

'Je hebt het niet helemaal goed gelezen, Patrick,' zei ze triomfantelijk. 'Dit eigenwijze nest moet namelijk naar hét nest.'

Ze wees met haar vinger naar de top van de boom. 'Alleen van hieruit kun je het zien!'

Chantal en Patrick kwamen naast haar staan en keken omhoog. Toen zagen ze het ook. Tussen het gebladerte waren de in elkaar gevlochten takken van een vogelnest zichtbaar.

'Ik moet de boom in,' besliste Winke.

Win!

Winke kreeg een kontje van Chantal, waardoor ze de laagste tak van de eik te pakken kreeg. Ze hees zich omhoog en klauterde naar de volgende tak.

Als ik de eik maar geen schorspijn bezorg, dacht Winke. Als ik maar niets kapotmaak. Stel, ik breek een tak, wat dan? Gooit de boom me dan naar beneden? Zal hij m'n nek breken?

Winke hield haar ogen onafgebroken op het nest gericht. Ze moest beslist niet naar beneden kijken, want dan werd ze vast duizelig. De diepte onder haar werd dieper en dieper. Op de grond werden Chantal en chauffeur Patrick steeds ongeruster.

'Juffrouw Kraak, met uw welnemen, dit is toch niet verantwoord. U...'

'Stil toch, Patrick,' onderbrak Chantal hem. 'Wees toch stil!'

Chantal durfde nauwelijks te kijken. Haar hart bonkte in haar keel. Waarom had ze Winke in de boom geholpen? Ja, Patrick had het grootste gelijk van de wereld. Dit was niet verantwoord. Dit was levensgevaarlijk! Maar Winke was zo overtuigd geweest. Zo sterk. Zo zeker van haar zaak.

De gespannen stilte werd slechts verbroken door het kraken van de takken en het suizen van de wind. Winke klom hoger en hoger. Nu kwam het gevaarlijkste deel. Aan de dunnere takken onder de top had ze minder houvast.

Was ik maar een vogel, dacht ze. Of een eekhoorn. Wat is een mensenlijf toch onhandig voor dit soort dingen.

Vanaf hier kon ze het nest goed zien. Het was een groot nest, groot genoeg voor een ooievaar. Ze steeg nog iets hoger. Plots drong er een merkwaardige geur haar neusgaten binnen. De geur van verrot vlees. Zoiets moest het zijn.

Niet misselijk worden, hield Winke zichzelf voor. En niet aan vallen denken, want dan val je echt. Je moet verder. Je moet naar het nest.

Onder haar was inmiddels een gapende diepte. Ze greep een tak boven haar hoofd beet en trok zichzelf omhoog. De tak kraakte, maar hield het. Winke slingerde zich naar een volgende tak. Ze bevond zich nu vlak onder het nest. Ze kon het aanraken.

PIEP! PIEP!

Wat was dat nou? Zat er een jong in het nest? Wat voor vogel zou het zijn? Het gepiep klonk angstig. Chantal en Patrick konden de klimster intussen niet meer goed volgen. Winke ging nu schuil tussen de bladeren. Via een andere tak belandde Winke op gelijke hoogte met het nest. Ze kon er nog net niet in kijken.

Jeetje, wat stinkt het hier, dacht Winke. Nou, vooruit, naar de volgende tak. Ik ben tenslotte het takkegrietje!

Winke klampte zich met haar voeten aan de boomstam vast. Ze moest nu verder. Ze was er bijna. Ze werd ook steeds nieuwsgieriger. Wat lag er in dat nest?

PIEP! PIEP! PIEP!

Het gepiep werd luider. Met beide armen trok Winke zich op aan een krakende tak, waardoor haar hoofd boven het nest uit kwam.

'Getsie!' riep Winke uit.

Er waaide haar de walm van een dood dier in het gezicht. Heel even sloot ze haar ogen. Toen ze haar ogen weer opende, zag ze een piepend roofvogeljong en een in stukken gescheurd konijn. Maar dat was nog niet alles. In het nest lagen tussen takjes en veren twee eieren. Groot en wit. Het roofvogeltje was vermoedelijk nog geen vijf dagen oud. Het diertje piepte nu uit volle borst. Zijn bek stond wijd open en zijn oogjes blonken fel. Wat moest Winke hier? Waarom had mevrouw Holda haar naar boven laten klimmen? Of was het een misverstand? Waren een paar kinderen aan het krijten geweest en...

Ineens ontdekte Winke iets wat haar hart bijna stil deed staan.

Dat ene ei wás geen ei!

Daar was het te rond voor. En te gedeukt. Het was een hockeybal!

GEK, GEK, GEK, GEK, GEK!!!

Winke verstijfde. De havik. Dit was het nest van de havik, de havik op de lat, het gevaar uit de hemel!

'Winke!' klonk van beneden de stem van Chantal. 'Winke! Daar komt een grote vogel aan. Alsjeblieft, kom naar beneden! Snel!'

Winke handelde als in een droom, zonder na te denken. Eerst liet ze met haar linkerhand de tak los en greep de bal uit het nest. In één vloeiende beweging gooide ze de bal naar beneden.

'Vang, Chantal!' riep ze. 'Vang!'

Vlak boven haar hoofd klonk eerst gesuis. Vrijwel meteen daarna volgde een krakend geluid. Een grote, zwarte gestalte wierp een schaduw op Winke. Ze keek omhoog. Daar zag ze de vogel met gestrekte vleugels boven haar hoofd op een tak zitten. De haviksnavel was hard en scherp. De klauwen waren enorm.

'Juffrouw Winke!' riep een smekende stem. 'Komt u toch naar beneden!'

PIEP! PIEP! PIEP!

Het jong ging als een dwaas tekeer. Even was de havik afgeleid. Winke greep naar een tak onder haar. Haar voeten vonden steun bij de boomstam. Razendsnel daalde ze een aantal meters af. Chantal en Patrick zagen haar uit het bladerdak tevoorschijn komen.

'Goed zo,' juichte Chantal. 'Kom snel. Kom...'

De rest van de woorden bleef bij Chantal in de keel steken. De havik had zich namelijk van de boomtop losgemaakt, zweefde even op zo'n dertig meter hoogte en zette toen klapwiekend de aanval in.

GEK! GEK! GEK!

Met de klauwen recht vooruit scheerde het beest schuin uit de hemel, als een steen, recht op Winke af! Winke vóélde de vogel komen. Ze omklemde de boom uit alle macht en ineens voelde ze een kracht in zich stromen, een ongekende kracht. Winke keek over haar schouder. Ze besliste in een honderdste van een seconde, nee, een duizendste. Toen de havik op twee meter van z'n prooi was, zette ze zich met handen en voeten van de boomstam af en zweefde de havik als een trapezeartieste tegemoet.

'Parbleu!' stamelde Patrick.

'Shit!' kreunde Chantal.

Winke greep het dier krachtig bij de poten en hing onder de havik als een parachutist onder zijn parachute. Uiteraard kon het beest Winke niet houden. Ze maakten een glijvlucht naar de aarde. Vlak voordat Winke de grond zou raken, liet ze de vogel los. De havik schoot fladderend omhoog.

'Winke!' riep Chantal. 'Kom, snel naar de auto!'

'Heb je de bal?'

'Natuurlijk! Kom snel! Rennen!'

KLAP! KLAP!

De portieren waren dicht. In de limousine was het even stil.

'Mmh,' zei Winke. 'Ik lust wel een ijsthee.'

Chantal barstte los in een nerveuze lach.

'Ik lust wel een cola. Voor de schrik.'

Chantal pakte met trillende vingers twee flesjes uit de koelkast. De schroefdoppen gooide ze op de hoedenplank.

'Jij ook iets, Patrick?' vroeg ze.

De chauffeur zat als verlamd achter het stuur.

'Jij ook iets?' herhaalde Chantal.

Patrick leek tot leven te komen. Hij schraapte zijn keel. 'Nee, dank u, juffrouw Kraak.'

Toen vervolgde hij op boze toon: 'Als ik niet moest rijden, jongedames, had ik wel een driedubbele whisky gelust. Allemachtig, juffrouw Winke. Wat bent u een waaghals! En dat voor zo'n vieze bal! Ik vind het ongehoord! Zoiets wil ik nooit meer meemaken!'

Hij startte de motor. Met een kalm gangetje reden ze in de richting van de snelweg. Winke en Chantal dronken hun drankje met gulzige slokken.

'Dit gelooft niemand,' zei Chantal.

Winke lachte zachtjes. 'Zeker mijn ouders niet.'

'Hoe je onder dat beest zweefde. Hoe je daar hing! Ongelofelijk! En dan die sprong!'

Chantal nam een slokje cola. Ze zuchtte diep. Toen haalde ze de hockeybal uit de zak van haar vest tevoorschijn. 'Kijk eens, hier is je bal.'

Beide meisjes bekeken het speeltuig of het iets buitenaards was, of het door marsmannetjes naar beneden was geschoten.

'Hij is lelijk toegetakeld,' zei Winke. 'Het lijkt wel een golfballetje met al die putten.'

Chantal wees op een grote scheur. 'Zo had jij er ook uit kunnen zien.'

Winke knikte.

'Dus die vogel was een hockeybal aan het uitbroeden,' vervolgde Chantal. 'Wat zou er uitgekomen zijn?'

Winke lachte. 'Een hockeyhavik?'

'Is dat een roofvogel met een stickvormige snavel?'

Hoofdschuddend hoorde Patrick het gegiebel van de meisjes aan.

'Maar even serieus,' zei Winke. 'Zie jij iets bijzonders aan die bal? Een teken? Een opdracht of zoiets? Ken jij Harry Potter? Daar is er altijd...'

'Ho even!' onderbrak Chantal haar. 'Ho even, Winke.'

Chantal staarde naar de bal. Ze draaide hem langzaam rond in haar linkerhand. Ineens kreeg ze een kleur als vuur.

'Ik zie het, Winke. Ik zie het!'

'Wát zie je? Zég het verdorie. Wat zíé je dan?'

Chantal wendde haar blik van de bal af. 'Je moet niet naar de grote gaten en deuken kijken, Winke. Nee, kijk naar de kleine snavelpikjes. Je moet als het ware lijnen trekken tussen die allerkleinste gaatjes. Verbind de puntjes! Dan zie je letters!'

Ze gaf Winke de bal.

'Je hebt gelijk,' mompelde Winke. 'Ik zie een W, dan een I en ten slotte een N.'

'Plus een uitroepteken,' zei Chantal. 'Kijk maar!'

'Ja, waarachtig.'

Chantal keek Winke stralend aan. Zonder iets te zeggen pakte ze nog een cola en een ijsthee uit het koelkastje.

'Nu is het tijd voor kristal,' zei ze.

Ze opende de flesjes en schonk twee kristallen glazen in.

'Ik wil een toost op je uitbrengen,' zei Chantal. 'Want het is duidelijk welke opdracht jij hebt gekregen, een heel mooie opdracht.'

Winke keek haar vriendin vragend aan.

'Jij moet gaan winnen, kampioene. Jij moet alles gaan wínnen! Winke moet winnen! Win!'

Toen de glazen elkaar raakten, tinkelden ze als zilveren klokjes.

Nagekomen bericht

'Ja, ja,' mompelde mevrouw Holda. 'Een glazen bol heb ik niet nodig. Een groot blad van de linde is voor mij genoeg. Eens even kijken, ja, dit lijkt me wel een geschikte. Een hartvormige bladvoet, een korte bladsteel, onregelmatige lobben, zeven bochtige insnijdingen, ja, dat moet gaan lukken.'

Mevrouw Holda woonde in een holle linde nabij Stiphout. Ze boog zich over het lindeblad en mompelde dingen als '*Salix cinerea ssp oleifolia*' en '*Rosa tomentosa*'. Opeens kreeg de priesteres een ontevreden uitdrukking op haar gezicht.

'Verdorie. Ik zie geen bal.'

Uit haar jurk pakte ze een leesbril.

'Ah, nu gaat het beter. *Viscum album. Ulmus glabra.* Wacht, ja, daar is het! De rol van Winke Penninx in het plan. Er moet toch meer zijn dan dat wratje?'

De vrouw zette nu haar hand boven haar ogen en tuurde naar het lindeblad. Daar zag ze hoe Winke vanaf een schommel een gat in de hemel schopte. Uit het gat stroomde water.

'Nee, nee!' mompelde ze. 'Wat ben ik toch een stomme-

ling. Dat is veel te vroeg! Ah, dit is beter.'

Nu zag mevrouw Holda hoe Winkes vader met een vies gezicht aan een berkentak likte en zijn dochter een toverspreuk zei. Het hielp niet. De arme man zou voor de rest van zijn leven kaal blijven.

'Daar heb ik ook niks aan,' mompelde mevrouw Holda. 'Wacht, wat komt daar mijn beeld in zweven? Aha, de krant van maandag 14 juni 2016. Dat is nuttig. Daar heb ik wat aan! Wat staat daar? Even zien...'

Door onze verslaggever

Tegen Duitsland maakte de achttienjarige Winke Penninx haar debuut als international. Al in haar jeugd stond ze bekend om haar inzet en fabelachtige techniek. Tegen onze oosterburen scoorde ze een typisch Penninx-doelpunt, zo eentje waarbij de stick als een bijl wordt gebruikt. De Duitse keepster was volstrekt kansloos op deze loeier. Opmerkelijk is het initiatief van miljonair Jürgen Kraak. Voor elk interlanddoelpunt van Winke Penninx stort Kraak 2000 euro in het kankerfonds. Elke assist van de linksbuiten is 1000 euro waard. Na de met 3-1 gewonnen partij tegen Duitsland was de computerbaas 4000 euro kwijt, want Penninx gaf ook twee keer de beslissende voorzet. Na afloop van het duel zei Winke Penninx met een lach: 'Ik hoop de heer Kraak snel failliet te hockeyen!' De sponsor zelf zei het daar van harte mee eens te zijn.